陶磁　発想と手法

小松誠／監修

武蔵野美術大学出版局

陶磁　発想と手法　目次

1章　陶磁器を作る　小松誠
- 1-1　陶磁器の始まり ──── 6
- 1-2　デザインの発想 ──── 8
- 1-3　素材からの発想 ──── 12
- 1-4　技法からの発想（鋳込み成形）──── 14
- 1-5　機能からの発想（茶器の制作）──── 18
- 1-6　企業の発想 ──── 22
- 1-7　公共の場の陶磁器 ──── 24
  - 作品紹介・小松誠 ──── 28

2章　原料（土）　萩原千春
- 2-1　土の特性 ──── 32
- 2-2　土づくり ──── 37

3章　成形技法
- 3-1　手びねり　西川聡 ──── 42
- 3-2　ロクロ（轆轤）　萩原千春 ──── 46
  - 作品紹介・萩原千春 ──── 54
- 3-3　板づくり　西川聡 ──── 55
- 3-4　型押し　磯谷慶子 ──── 60
- 3-5　鋳込み成形　磯谷慶子 ──── 65

4章　装飾技法
- 4-1　絵付け　萩原千春 ──── 70
- 4-2　印と象嵌　磯谷慶子 ──── 74
- 4-3　彫り　萩原千春 ──── 77
- 4-4　練り込み　磯谷慶子 ──── 79
  - 作品紹介・磯谷慶子 ──── 81
- 4-5　化粧　西川聡 ──── 82
- 4-6　転写と印判　西川聡 ──── 86
  - 作品紹介・西川聡 ──── 87
  - 様々な道具①〜⑥ ──── 88

5章　釉　西川聡
- 5-1　釉とは ──── 96
- 5-2　釉を調合する ──── 101
- 5-2　釉づくりと施釉 ──── 105

6章　窯と焼成　磯谷慶子
- 6-1　窯 ──── 112
- 6-2　焼成 ──── 114

用語解説

原料、道具取扱い店一覧

陶磁器の制作工程

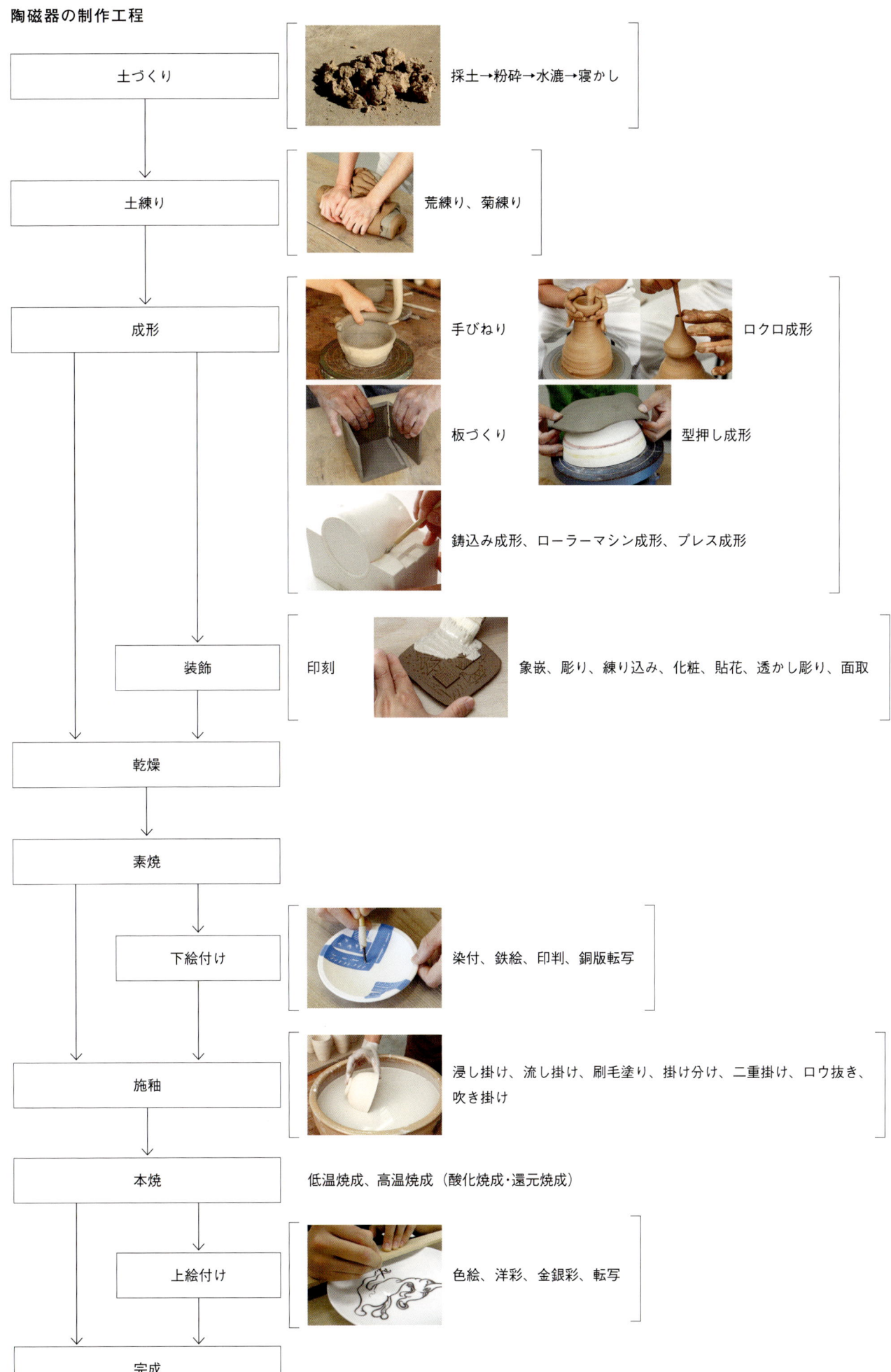

- 土づくり：採土→粉砕→水漉→寝かし
- 土練り：荒練り、菊練り
- 成形：手びねり、ロクロ成形、板づくり、型押し成形、鋳込み成形、ローラーマシン成形、プレス成形
- 装飾：印刻、象嵌、彫り、練り込み、化粧、貼花、透かし彫り、面取
- 乾燥
- 素焼
- 下絵付け：染付、鉄絵、印判、銅版転写
- 施釉：浸し掛け、流し掛け、刷毛塗り、掛け分け、二重掛け、ロウ抜き、吹き掛け
- 本焼：低温焼成、高温焼成（酸化焼成・還元焼成）
- 上絵付け：色絵、洋彩、金銀彩、転写
- 完成

凡例

- 各作品の記載内容
  作者名「作品名」制作年　素材、技法。サイズ。
  その他

- 作品のサイズ表示
  例1：320 × 110 × 260 は、幅（W）×奥行き（D）×高さ（H）を示す。
  例2：φ100 × 50 は、直径×高さを示す。
  例3：150×170は、幅×高さを示す。
  単位はすべてmm表示。

1章

陶磁器を作る

小松誠

1-1
陶磁器の始まり

土器はどのように作り始められたのか。いろいろな説があるがおそらく古代の人たちは、焚き火や山火事の後の焼けた土が大雨の後でも水に溶けずに残っているのを見て、固くなって崩れない物としての、火による土の変質に気づいたのである。初めは粘土の小さな塊を乾かして火の中に放り込んでいるうちに、少しずつ大きな動物や人形や器のようなものを作り、これを天日で乾かして枯れ草や枯れ木を被せて焼くようになった。人類が初めて化学変化を生活のための道具に利用した例と言われている。

土器はいつ頃から作られたのであろうか。現在、年代測定法としてもっとも適していると言われる放射性炭素年代測定法によると、1万6千年前の日本の縄文土器がみつかっている。これが今のところ世界最古のものとなり、日本人の祖先が人類でいちばん早く土器を作り始めたことになるが、しかし、同じ時期に世界各地で作り始められたのではないか。

「彩陶双耳壺」（重文）馬家窯文化・中国　東京国立博物館蔵
Image: TNM Image Archives

青梅市寺改戸遺跡出土「注口土器」　青梅市郷土博物館蔵

「赤鹿形象土器」イラン　中近東文化センター附属博物館

「CHIMU　酒器」（欋）ペルー・天野博物館蔵

古代日本では土器は日常の生活に密着していた。当時は狩猟・採集生活であり、収穫した穀物や動物や魚介類を煮たり、焼いたり、蒸したりする道具として土器を用いた。その証拠に、出土する土器には炎の痕が残っている。縄文式土器から弥生式土器、須恵器を経て現在に至るまで、やきものは我々日本人にとってもっとも生活に密着した道具（素材）である。このやきものへの親しみは、1万年間、縄文式土器を作り続け、使ってきたという体験によって、我々の祖先のDNAに、ある種の刷り込みがなされたのではないかと思われる。

　さて大昔から人は土器に道具としての物理的機能を求めるだけでなく、形や表面にあらゆる工夫や装飾を施してきた。それはなぜか？人は自分を取り巻く生活環境を快適にするための創意工夫を本能的にする生き物なのではないか。ここにデザインの原点を見ることができる。

　土器の表現は自然を模した形が多く、表面の文様は自然を描写したものから単純化、抽象化されたものまで多種多様である。

　土器は後期旧石器時代に出現するが、縄文中後期（新石器時代）になると料理のための道具としての土器製作と同時に、埴輪のような埋葬品や、装飾性の強い祭祀のための器やアクセサリーも作られるようになる。

曽利遺跡出土「水煙渦巻文深鉢」　井戸尻考古館蔵

上野千網谷戸遺跡出土「大型透彫付耳飾」（重文）縄文時代晩期
桐生市教育委員会所蔵　写真提供：岩宿博物館

「土偶」（重文）東京国立博物館蔵　Image:TNM Image Archives

CHANCAY 土偶（チャンカイ土器）クチミルコ　ペルー・天野博物館蔵

陶磁器を作る　7

1-2

デザインの発想

物を作るきっかけはどのようなものなのか。たとえば、日常生活の〈用〉への必要上、両手で水を掬う格好から水を溜める器の原型ができ、機能を果たす単純明快な物にプラスアルファの表現が加わる。

そのきっかけになるものは、太陽、月、植物、動物等、自然をモチーフにしたものが多かった。現代では人工的な物も含め、あらゆる物がその対象となる。現代のデザイナーをはじめ、あらゆる表現者は自らの創作のきっかけとなる、気になる収集品、宝物をいくつも持っていて、それをいちばん大事な引き出しにしまっている。本来秘密になっている引き出しには何が詰まっているのか。自然物や人工物等多種多様だが、持ち主の美意識や価値観が集約され、本能に響き合う「何か」が秘められている。

●デザイナーの発想源：小松誠

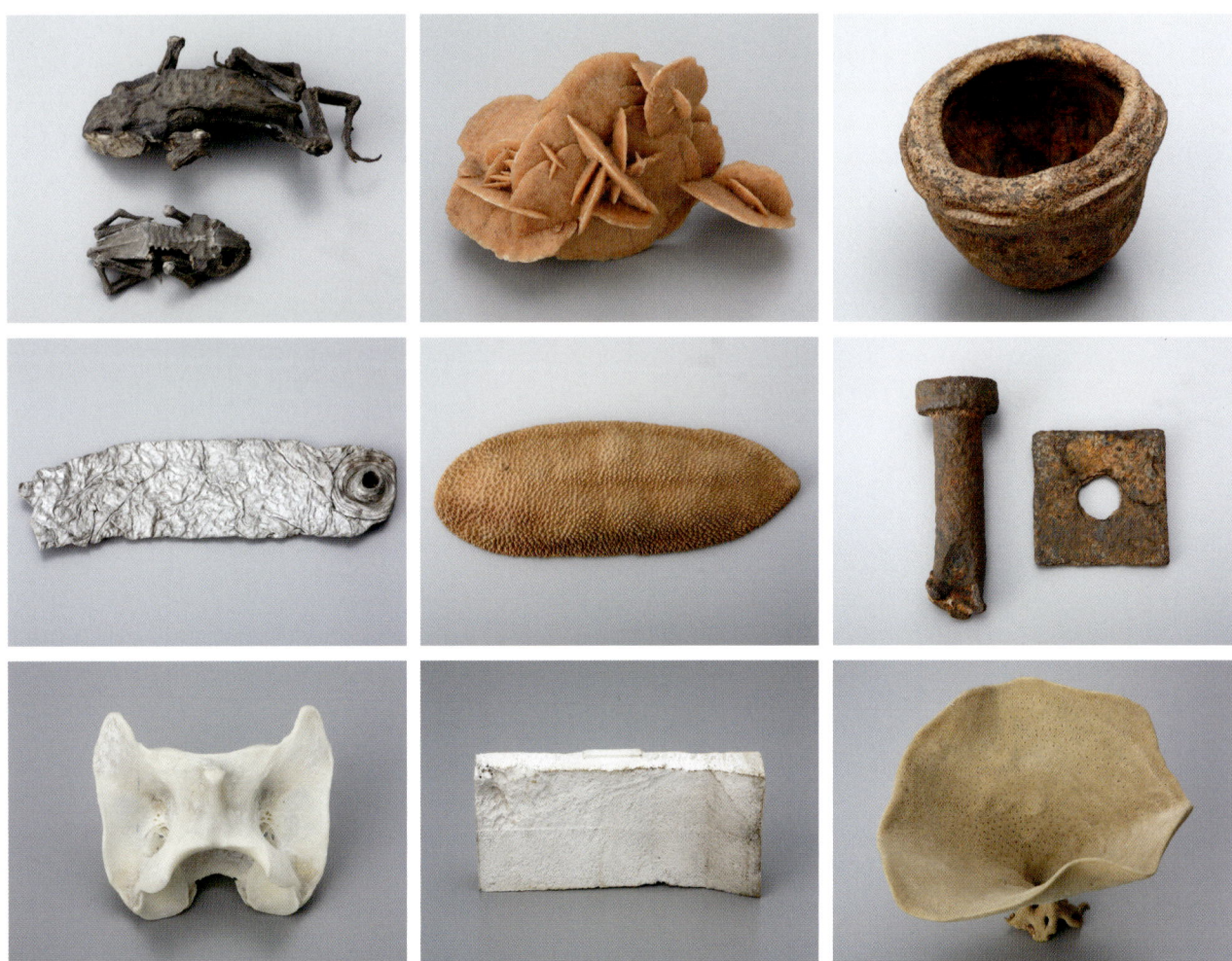

上段左より：蛙のミイラ、砂漠のバラ、木の実の骸
中段左より：拾ったチューブ、木の実の殻、拾った鉄屑
下段左より：脊椎骨、雨ざらしの石膏、海綿

頭蓋骨と根
恐竜の化石は地中に埋まった骨の中に土のミネラルがしみ込み、長い年月をかけて地熱によって熱せられ石と化す。もっとも早いもので数万年さらに何百万年、何億年もかけてできたやきものなのである。ところが人間は粘土で形を作り高い熱を加えてあっという間に焼き締った固い石のような物を作ってしまう。陶芸家は現代の化石を作っているようなものである。

頭蓋骨の全体像も美しいものであるが、目を近づけて細部を見ると、骨の構造にさらに美しい線や形を見いだすことができる。
あらゆる生物の起源を辿ると共通の細胞に至るように、人も自然の一部として生まれてくる。人は心地よい時の自然の色、形、リズムに快感を覚え強く影響を受けるもので、その結果自然をモチーフにした表現が多くなる。発想する際には○を□に、凸を凹に、長いものを短く、太いものを細く、上を下に、逆からの視点でものを考えていくと、今まで見えなかったものが見えて思わぬ発見をするものである。

●デザイナーの発想源：磯谷慶子＋西川聡＋萩原千春

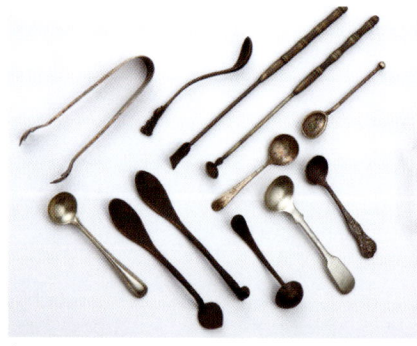
1.

2.

3.

4.

5.

6.

7.

8.

磯谷慶子の引き出し

旅先や散歩の途中で気になったもの。
1. 小さなスプーン。
2. 種の形はおもしろい。
3. 力強い象嵌の玉。一つの玉の直径は 25mm。
4. 宝貝とウニ。張り、艶、色柄が絶妙。
5. ホタテの稚貝。形と文様が楽しい。
6. タクラマカン砂漠のラクダの毛。微妙で柔らかな色。
7. 刺繍糸。集合させると表情が豊か。
8. 中国雲南省の刺繍。

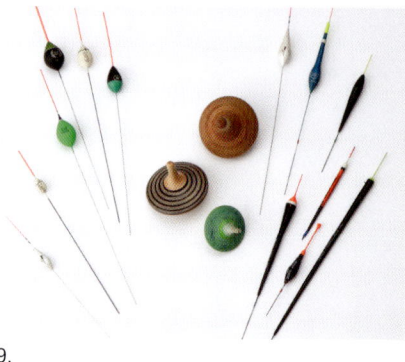
9.

10.

11.

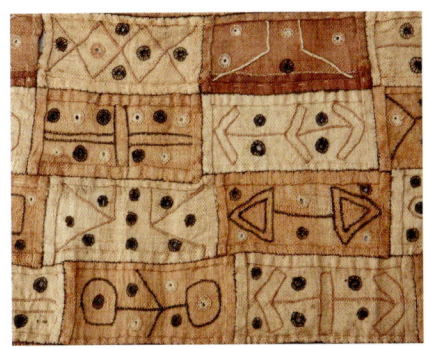
12.

13.

14.

西川聡の引き出し
9. 回転体による形はロクロ成形のヒントにもなる。欧州のウキとコマ。10. 自然物をコピーした石。天然の鋳込み成形か？ 巻き貝と三葉虫の化石。11. 素朴な焼き印の文様。ひょうたんの柄杓、ブルキナファソ。12. 記号のような文様は抽象化の手がかりとなる。ラフィアの布、旧ザイール。13. 何度も塗り重ねられた色彩。扉、ザンジバル島。14. 石垣、大阪城。

萩原千春の引き出し
15. 16世紀から19世紀のタイル。フランス・スペイン・セビリア。
16. 18のカメラで撮影したモノクロ写真。光のグラデーションに惹かれて。
17. 木や紙でできた糸巻きと、糸。色、形とも遊び心が感じられる。
18. 1920年代の中判カメラ。在仏中に撮影に使用。機能的な形の中にも愛らしさが。シンプルなバネによるシャッター音も気に入っている。

19. ガラス製のボタン。透明なガラスにも様々な表情がある。
20. 陶磁・木のボタン。素材の特性を生かすユーモラスな表現。

15.

16.

17.

18.
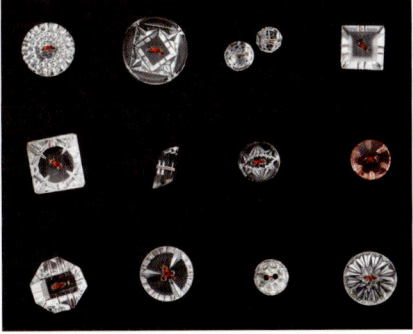
19.

20.

1-3
素材からの発想

陶磁にかぎらずクラフトデザイン全般で、素材の特性を知ることはもっとも重要である。どの素材にも限界はあるが、粘土でどれだけ細く長いひもができるか、どれだけ薄い板ができるか試みる。粘土の種類や技術力によるが、思った以上に細いものや薄いものができる。そしてひもが切れたり、板が破けたりするその限界に素材の特性、表情が出る。この過程を時間をかけて体験していくと、短所であると思われたことが表現方法によっては長所にもなるのである。瞬時に形になる粘土の可塑性はあらゆる表情を見せる。

たとえば「ひねる」というテーマで、形のヴァリエーションがどれだけできるのだろうか。数多くのヴァリエーションを発想することを学ぼう。これは、おもしろい表現を見つけ出すトレーニングであり、粘り強く集中する根気が発想力を発達させることになり、将来の創作活動に大きく影響する。

陶磁器を作る 13

1-4
技法からの発想
（鋳込み成形）

陶磁器の制作には数多くの技法があるが、石膏型による鋳込み技法を例に、発想のプロセスを学ぼう。

この技法は石膏の吸水性を利用した陶磁器製造における独特のものである。1873年のウィーン万国博覧会をきっかけに、その技術が日本に持ち込まれ、次第に普及した。石膏の型を多く用意し、その中に泥漿(でいしょう)を流し込みしばらくしてから排泥(はいでい)する。複製を作ることに適しており、同じ物を多く作る量産技術として発達してきたが、表現技法としてもおもしろい特性を持っている。その中で、複雑なテクスチャーを写し取ることができる特性を利用して開発されたクリンクルシリーズのスーパーバッグの制作工程を見ていこう。

1. 紙のしわの写し取り

2. 掬う手の形の写し取り

3. 割った木の写し取り

1. 紙袋の試作

2. 選ばれた紙袋

3. 石膏になった紙袋

4. 石膏と紙袋

5. 石膏割型

6. 石膏型

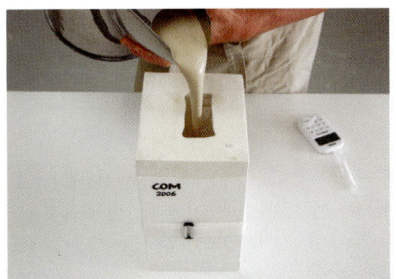
7. 泥漿を鋳込む

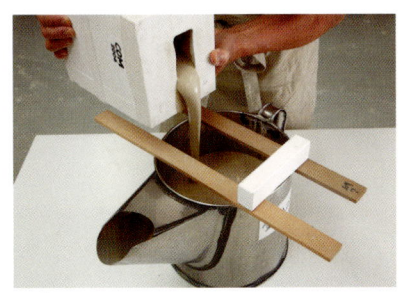
8. 排泥する

9. 余分を切る

10. 余分を切り取る

11. 型をはずす

12. 成形完了

13. 乾燥後、口の仕上げ

14. 完成品

15. 完成品、石膏原形、紙原形

陶磁器を作る　15

浜坂尚子「酒器」2006　鋳込み成形、下絵と上絵（泥漿に顔料で着色）。320 × 110 × 260

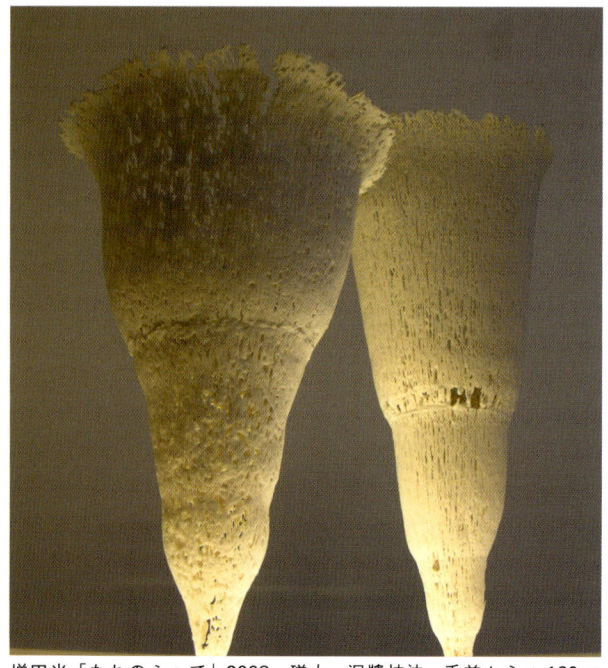

増田光「なれのふぁて」2008　磁土、泥漿技法　手前からφ 160 × 240、φ 140 × 290

黄光復（HWANG Kwang Bok）「海の生き物」2004　鋳込み成形後、色化粧を重ね、削り出して文様を作る。210 × 220 × 150 他

境真友美「-drops-table wear」2006　磁器。ティーポット（200×200×200）、カップ＆ソーサー（200×100×150）、スタッキングボウル＆プレート（φ100×50、φ200×100、φ250×100）

高橋奈己「mi」2008　白磁、鋳込み成形。手前から120×110×150、140×130×250、120×120×320

安藝俊郎「dupl」2007　磁土、鋳込み成形。150×150×150

陶磁器を作る　17

1-5

機能からの発想
（茶器の制作）

日本人はあらゆる国の料理を楽しみ、同じようにお茶も楽しむ。そのための茶器は必ず各家庭に備わっていて、お茶の種類によって大きさや形は大いに異なる。

　高級な玉露や煎茶は、小さな器で、注ぎ口に対して横に把手が付いた急須型が一般的である。これは使われる場である和室での、座しての扱いやすさに起因している。

　対して、たっぷりと飲む番茶には大きめの器の上に把手が付いた土瓶型が用いられる。紅茶は大きめの器であり、注ぎ口に対して後ろに把手が付く洋食器のティーポット型である。中国茶の代表的な烏龍茶には小さな器で把手が後ろに付く形だが、代々伝わる作り方は独特だ。粘土の板を筒状に接合し、上下に円板の蓋をして、空気を閉じ込めてヘラで叩いて形を整える。伝統技法をもって作られる手技の極致である。中国の宜興(ぎこう)がその産地で、多くの陶芸家や工房がしのぎを削る。日本では一般的にロクロ成形を用い、本体、注ぎ口、茶漉し、把手、蓋を別々に作り組み合わせて完成させる。寸法合わせ、形のバランス、使い勝手等、技術力と総合力が要求される難しい器だが、それだけにやりがいのある制作となる。作者の創意工夫によって、日常使いの器として手頃な価格で使いやすい、美しい茶器を作る名人が全国にたくさんいる。さらに価格の安い量産品はほとんどが鋳込み成形で作られる。

1.

2.

3.

4.

5.

6.

7.

8.

9.

10.

11.

12.

13.

14.

15.

陶磁器を作る 19

16.
17.
18.
19.
20.
21.
22.
23.
24.

20　陶磁器を作る

25.

26.

27.

28.

29.

30.

1. Lars Bergström（スウェーデン）炻器、ロクロ成形。210 × 140 × 170　2. Violette Fassbaender（スイス）炻器、ロクロ成形＋ステンレスワイヤー。210 × 165 × 235　3. Kaolin, Stokholm（スウェーデン）炻器、ロクロ成形＋鉄。170 × 150 × 210　4. Bridget Drakeford（イギリス）磁器、ロクロ成形＋木＋銀。160 × 155 × 220　5. 小松誠　炻器、鋳込み成形＋籐。180 × 150 × 230　6. Jindra Vikova（チェコ）磁器、鋳込み成形。200 × 100 × 245　7. Bob Jakes（チェコ）炻器、ロクロ成形。200 × 130 × 165　8. Simone Perrotte（フランス）半磁器、ロクロ成形。155 × 135 × 185　9. Vladimir Groh（チェコ）磁器、鋳込み成形。225 × 140 × 135　10. Milos Nemec（チェコ）磁器、鋳込み成形。220 × 145 × 165　11. Matthew Blakely（イギリス）磁器、ロクロ成形。220 × 130 × 175　12. David Frith（イギリス）炻器、ロクロ成形。200 × 135 × 160　13. Matthew Blakely（イギリス）炻器、ロクロ成形。190 × 125 × 175　14. Walter Keeler（イギリス）炻器、ロクロ成形。190 × 110 × 220　15. Ritta Talonpoika（フィンランド）半磁器、ロクロ成形。175 × 140 × 175　16. Karel Frantel（チェコ）陶器、ロクロ成形＋流木。190 × 120 × 220　17. 伊藤慶二　炻器、ロクロ成形＋鉄。170 × 140 × 165　18. Melanie Brown（イギリス）磁器、ロクロ成形＋籐。150 × 145 × 195　19. Bing & Grondahl（デンマーク）炻器、鋳込み成形。265 × 150 × 135　20. Karin Nyström（スウェーデン）陶器、ロクロ成形。130 × 120 × 175　21. Melanie Brown（イギリス）磁器、ロクロ成形＋ゴム。105 × 90 × 210　22. Hwang Kwang Bok（韓国）磁器、鋳込み成形＋銅。175 × 130 × 165　23. Melanie Brown（イギリス）磁器、ロクロ成形＋ゴム。132 × 127 × 213　24. Bridget Drakeford（イギリス）磁器、ロクロ成形。150 × 120 × 180　25. 豊増一雄　陶器、ロクロ成形。140 × 90 × 100　26. 関根昭太郎　磁器、ロクロ成形。165 × 105 × 120　27. Bridget Drakeford（イギリス）磁器、ロクロ成形。160 × 100 × 140　28. 倉前幸徳　陶器、ロクロ成形。185 × 130 × 100　29. Rebecca Harvey（イギリス）炻器、ロクロ成形。150 × 90 × 135　30. 水野博司　炻器、ロクロ成形＋蔓。135 × 110 × 180

陶磁器を作る　21

1-6
企業の発想

●コンセプトに基づく総合的なデザイン

洋食器メーカーの製品開発は、毎年2回開かれる見本市のスケジュールに合わせてスタートする。常に新しい製品を望む市場の要求に従い、市場調査等を参考にしながら製品開発のコンセプトを検討する。新しいライフスタイルにふさわしい製品を作るために、どんな年代、性別、価値観の人たちをターゲットにするか。また、決定したコンセプトを効果的にするための材質や価格設定、販売方法をどうするか。こういった条件を総合的に考えながらデザインし、魅力的な製品を作らなければならない。これからの食器デザインは、ライフスタイルの変化によってこれまでのように明確に和と洋を分けるのではなく、両方に対応した新しいデザインの製品が望まれている。

また、企業内デザイナーによる開発とは別に、外部にデザインを依頼したり、フリーランスデザイナーが自主的に考えたデザインを自社製品として生産する場合もある。企業によっては、OEM（Original Equipment Manufacturer）といって相手先ブランドで販売される製品を製造することも多くなってきている。

●日本の陶磁器製品の推移

かつて日本製陶磁器は、安さを理由に全世界に輸出されていた。当時はデザインのオリジナリティや品質に関係なく製品をどんどん生産し、海外メーカーの製品を真似たものも作っていた。だが生活水準が上がり、人件費が高くなると製造コストが上がり、生産地は人件費の安い他のアジア地区に移っていった。現在では、資源大国でもある中国が大生産地となり、世界の陶磁器生産の70％を占めると言われている。日本の陶磁器生産地にとっては厳しい状況と言える。これからの日本企業の製品は価格競争ではなく、オリジナルなデザインにオリジナルな製法といった質の高い製品づくりが求められる。さらに今後、大量生産、大量消費といった製造形態はわずかな企業に絞られ、中小企業は特徴のある製品を少量多品種作っていくことになるだろう。ここにデザイナーの独創的な発想が活用されるべきである。

日本各地の陶磁器の産地は2～3人規模の工房から大きな企業まで千差万別である。和食器専門工房、洋食器専門工房、技術的特性にこだわり花瓶やティーポット（袋物）を主に生産する工房、低火度（1100℃）で鮮やかな色釉（白雲陶器）制作を特徴とする工房、特殊な理化学用品を生産する工房、業務用食器や学校給食用食器を得意とする工房の他、園芸用品専門、プレミアム（景品）商品専門、ノベルティ商品専門等細かく分かれている。また、工業的に精製された材料を高火度で焼成したファインセラミックスは、あらゆる電気製品や自動車、IT機器の部品として欠かせないものとなり、これからも陶磁器の新しい分野を切り開いていくものである。

長谷川武雄／長谷川陶磁器工房「maru(aura DISTRIBUTION)」2004 磁器、鋳込み成形。ポット本体φ120×190×125、土瓶本体φ120×146×125、醤油指し本体φ77×100×98

鳴海製陶「Styles（スタイルズ）」オーガニックシリーズ（2005、ボーンチャイナ）より。オーバル皿φ300、オーバル深皿φ200、ティアドロッププチボートφ110

加藤達美／セラミックジャパン「Moon Light」月光シリーズ（1965、磁器）より。ティーポット190×130×180、カップ115×90×60、ソーサーφ150×20

荻野克彦／セラミックジャパン「モデラート（Moderato）」2000　炻器、鋳込み成形。ポットφ90×160×120、カップφ80×110×65、ハイカップφ65×95×90、ソーサーφ132×220

徳田祐子(Rock,Paper,Scissors)、サン・アド／セラミックジャパン「STILL GREEN」2006　180×70×250

富永和弘／白山陶器「ライフシェルズ（LIFE SHELLS）」1998　磁器、鋳込み成形。最大260×150×200、最小130×75×100

陶磁器を作る　23

1-7 公共の場の陶磁器

●タイル

公共建築に多く使われるタイルの起源はエジプトにあり、紀元前2600年頃のピラミッドにはきれいなトルコ青のタイルが使われていた。イスラム諸国では9世紀頃より釉薬の施されたタイルがモスク等の建築物に使われるようになり、その後ヨーロッパに進出したイスラム教徒によって伝わった。そしてファイアンス焼、マジョリカ焼へと繋がり、公共的な建築物のみならず個人住宅の壁や床、暖炉の装飾として普及する。

　日本での建築タイルの歴史は浅く、本格的に生産され社会に普及するのは100年程前である。これは日本の建築物が土と木と紙でできていたことに大いに関係がある。明治時代初期に煉瓦やコンクリートによる建築が作られるようになって、その表面を装飾するために使われ始めた。以来、現在に至るまで鉄筋コンクリート構造の建築物が主流であり、一般的にはその表面をタイルで覆い隠すことが日本のコンクリート建築の特徴ともなっている。

●空間とデザイン

陶磁器は公共建築物に適した素材である。材質特性の一つに耐久性があり、壊さない限り永遠に近い堅牢性を持つ。また雨風に強く太陽の強い日差しにも退色しない耐候性を持つ。さらに、手づくり、型押し成形、押し出し成形、湿式プレス、乾式プレス等、製造における作業性は幅広く、工業的に製造されたものは精度も高い。最近はタイルの貼付け工法が進歩し、パネル化された壁のユニット(PC板)を工場でタイルと一体で作るので剥落する心配がなくなった。この工法を利用して大きな公共建造物の外装にタイルが多く用いられている。

　陶磁器が公共的な場で効果的に用いられている造形表現として、スペインの建築家アントニオ・ガウディ(1852–1926)の作品を紹介しよう。ガウディは個人住宅から共同住宅、教会、公園に多くの陶磁器を用い、屋根の上の煙出しに独特の造形物をデザインした。とくにすばらしいのは、割れた陶片をランダムに貼ることによって、あらゆる平面、曲面に対応できるという画期的な手法を駆使していることである。

グエル公園カラベラベンチ（グエル公園、市場の天井部に設けられた破砕タイルによる蛇行ベンチ）　撮影：山本シンセイ

トルコ・イズニック　16世紀後半

スペイン　18世紀

イギリス　19世紀末-20世紀初頭

イギリス　19世紀末-20世紀初頭

イギリス　19-20世紀初頭

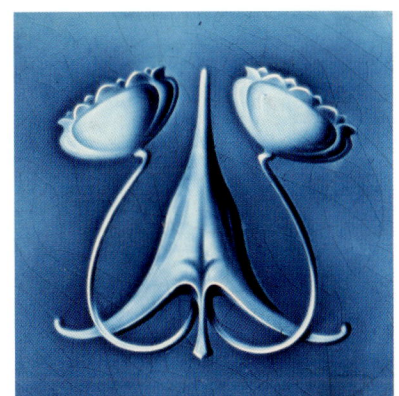
イギリス、19-20世紀初頭
6点ともINAXライブミュージアム蔵

カラベラベンチ・破砕タイルのアップ

サグラダファミリア（聖家族教会）生誕の門尖塔　撮影：山本シンセイ

陶磁器を作る

●モニュメントとしての作品

公共の場の核となるような空間に作家作品が置かれる場合がある。粘土が可塑性による造形性に優れていることや、他の素材に比べて耐久性があり、汚れにくいこと、やきものへの親近感等の理由で、陶芸作品が採用される場合が多い。

　個人商店の壁面や床の装飾から、医院、飲食店、スポーツクラブの外装タイル、ロビー、待合室の壁面装飾、オブジェ、照明器具。さらに大きな施設として、ホテル、病院、図書館、駅、空港等の公的建造物や各種企業建造物等がその対象になる。規模が大きく公共性が高い場合は設計計画の段階からの参加が理想的だが、現状では設計図面ができ上がってからの作品依頼が普通である。

　公共空間は様々な質を持っている。そこがどんな目的の場であるか。人が流れている通路の外壁か、人が滞留するロビーか。都市の人工物の中なのか、自然の中か。仕事の場か、遊びの場か。昼なのか、夜なのか、昼夜なのか。加えて、その場が持つ歴史や物語等多くの複雑な要素で成り立っている。場（空間）をじっくりと分析し、場にふさわしいデザインがなされなければならない。

栄木正敏／TOTO　レリーフタイル「TOTO陶壁・ブラーレ」1993　炻器質、無釉、湿式強圧プレス成形。155×155×35（1ピース）

左：「サグラダ」のある空間。北海道鹿追町　ピュアモルトクラブハウス
右：落合勉「サグラダ」1996　ボーンチャイナ、鋳込み成形。φ160×350　撮影：藤塚光政

大河内信雄「岡山県立大学講堂陶壁（部分）」1994　2400×2700。岡山産耐火レンガ、信楽土タイル、有田磁器、ボーンチャイナ、アルミ等の多素材。長い壁を瀬戸内海に見立て、鳥や魚の群れを抽象的に表す。

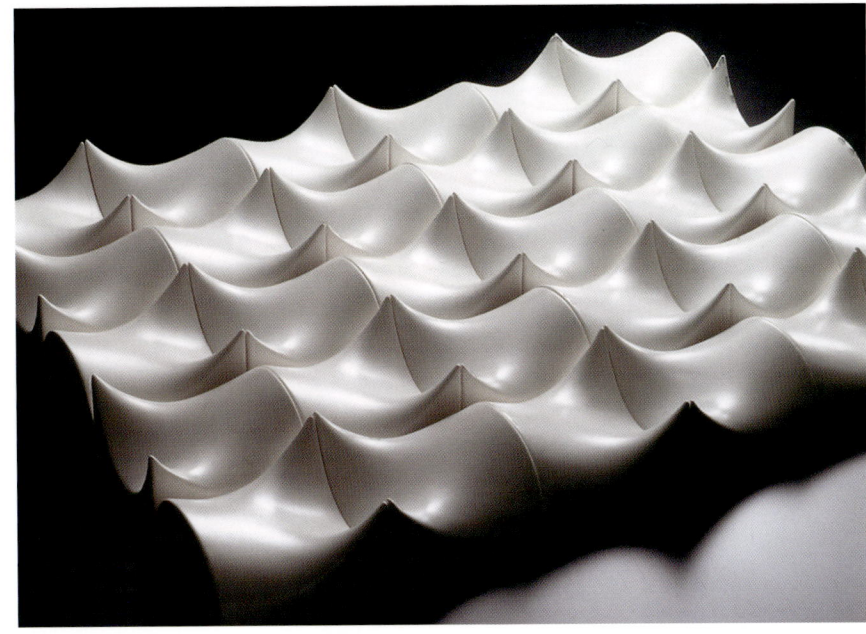

栄木正敏
レリーフタイル「WAVE」
2003
半磁器、白セミマット釉、石膏型鋳込み成形（一重鋳込み）。95 × 95 × 55（1ピース）

三梨伸
「ホワイトパオ」1998
陶、FRP、鉛。φ900 × 700

三梨伸
「インターベンション イン サンパウロ」2002
陶、鉄、FRP。1300 × 1300 × 1500

陶磁器を作る

作品紹介　　　　　　　　　　　　　　　　　　　　　　　　　　　　小松誠

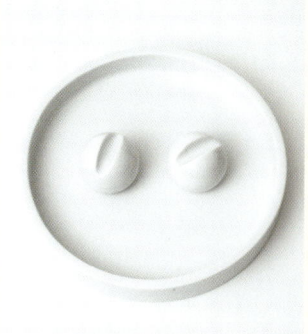
1.「灰皿 KUL」

2.「KUU シリーズ」

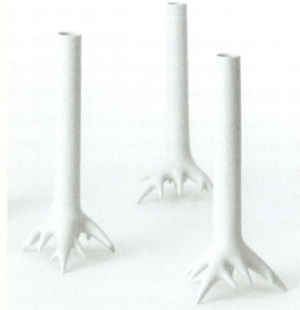
3.「ROOTS 花器」

4.「CERATIUM 花器」

5.「インフィニティ ボウル」

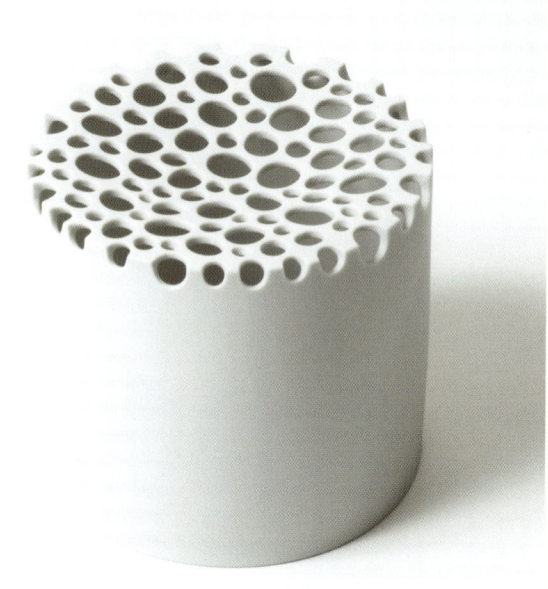
6.「KUU シリーズ 花器」

7.「You-ki 茶器」

撮影：井上佐由紀（1～7）

1. 磁器　φ182×25、球φ42
2. 無釉磁器　φ70×50
3. 無釉磁器　100×100×220
4. 無釉磁器　195×170×145
5. 半磁器、白マット釉　φ280、φ225、φ177、φ135、φ90
6. 無釉磁器　φ112×95
7. 磁器、ステンレス　165×120×175

スーパーバッグシリーズ
A. 磁器　180×90×240
B. 無釉磁器　180×90×240
C. 磁器　180×90×240
D. 銀彩磁器　130×100×170
E. 無釉磁器　105×70×150
F. 無釉磁器　160×150×210
G. ボーンチャイナ　180×90×240（灯り25W）
H. 銅線、黒塗装　220×110×300
I. ステンレスメッシュ　250×120×350（灯り25W）

A.「スーパーバッグ K2」

B.「スーパーバッグ KNS-2」

C.「スーパーバッグ KN-2」

D.「スーパーバッグ KV-3」

E.「スーパーバッグ COM」

F.「スーパーバッグ 1997」

G.「スーパーバッグ L」

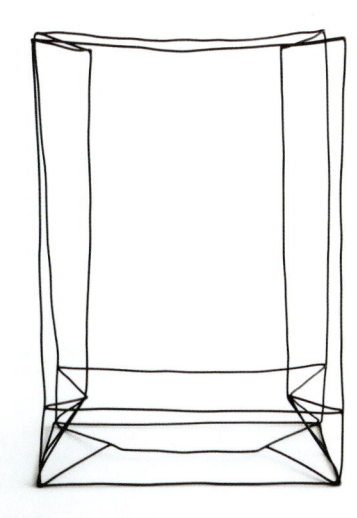

H.「スーパーバッグ W」

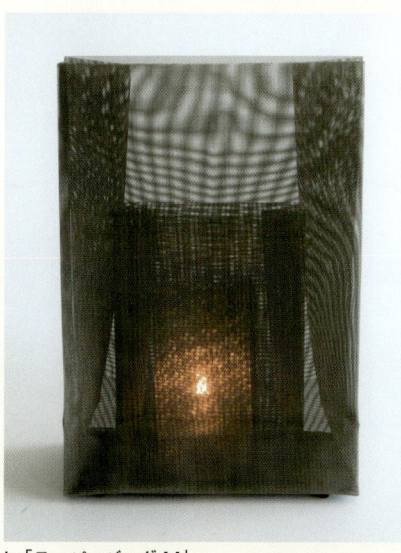

I.「スーパーバッグ M」

作品紹介

2章

原料（土）

萩原千春

2-1
土の特性

一般的に陶磁で粘土と呼ばれるものは、粘土質で形を成形できるもので、焼成後も形を保ち、固くなり、実用に耐えるものになり得る土のことを総称している。

土には科学的な成分の他にバクテリア等の要素が加わり、作ってから一定期間寝かせる（乾かないように保存する）とより扱いやすい土になると言われている。

日本には陶磁制作に使える土を産出する地域が数多くあり、各地で産業として発展してきた。代表的な産地としては、有田焼（佐賀県）、九谷焼（石川県）、益子焼（栃木県）、笠間焼（茨城県）、唐津焼（佐賀県）、信楽焼（滋賀県）、萩焼（山口県）、備前焼（岡山県）、常滑焼（愛知県）、瀬戸焼（愛知県）、丹波立杭焼（兵庫県）、越前焼（福井県）等が挙げられる。それぞれが土の特色を生かしたやきものを作り出している。現在では、陶芸材料店や陶土製造元から容易に土を購入することもできる。

作りたい作品に対して土を選択するということがあるが、逆に土の個性からインスピレーションを受けて作品を発想することもある。鋳込み成形には磁土が適している等、技術的な側面から選択することもある。

作者がどのような土を選ぶかというところから作品づくりは始まっているのである。

日本の窯業地

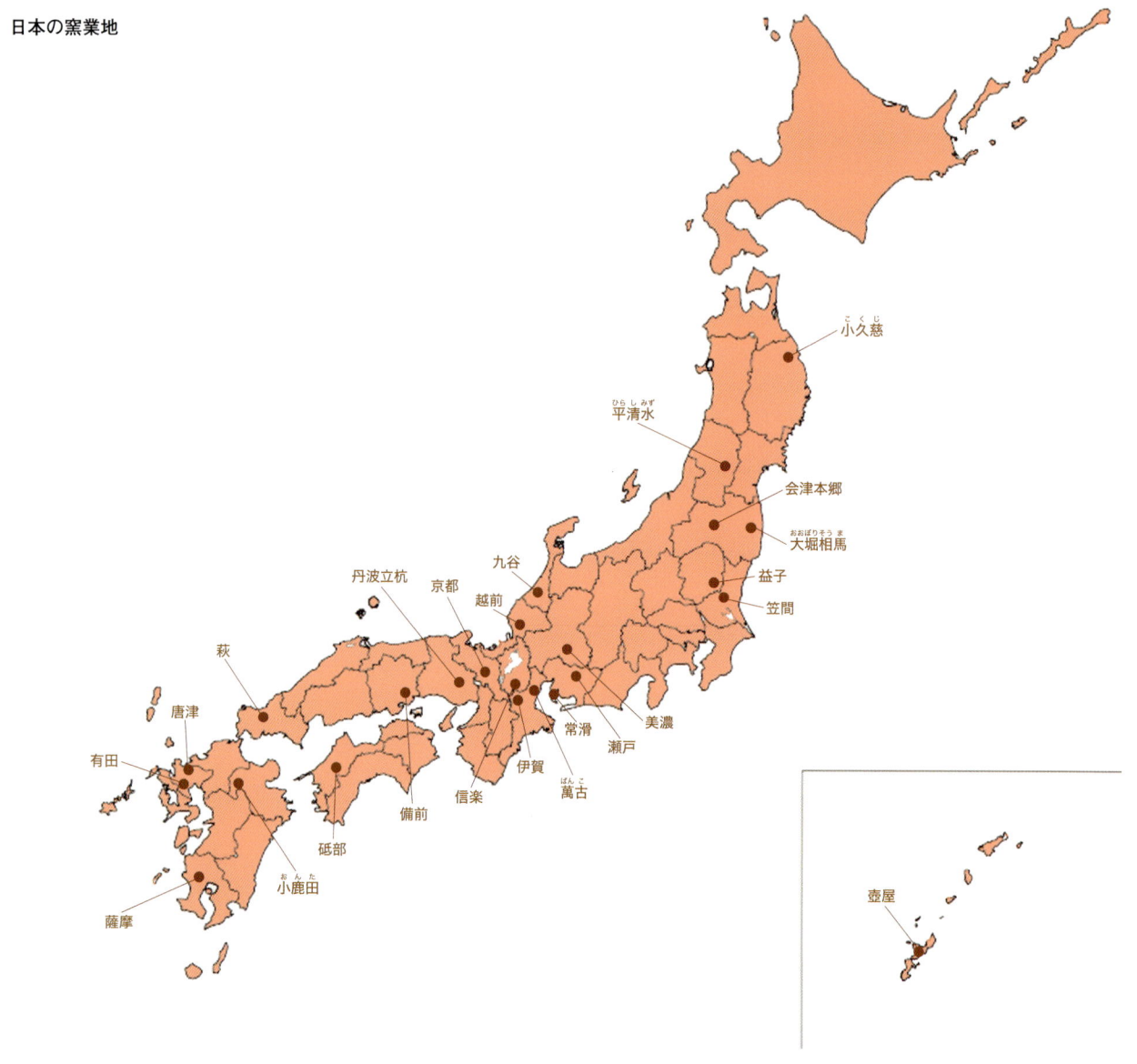

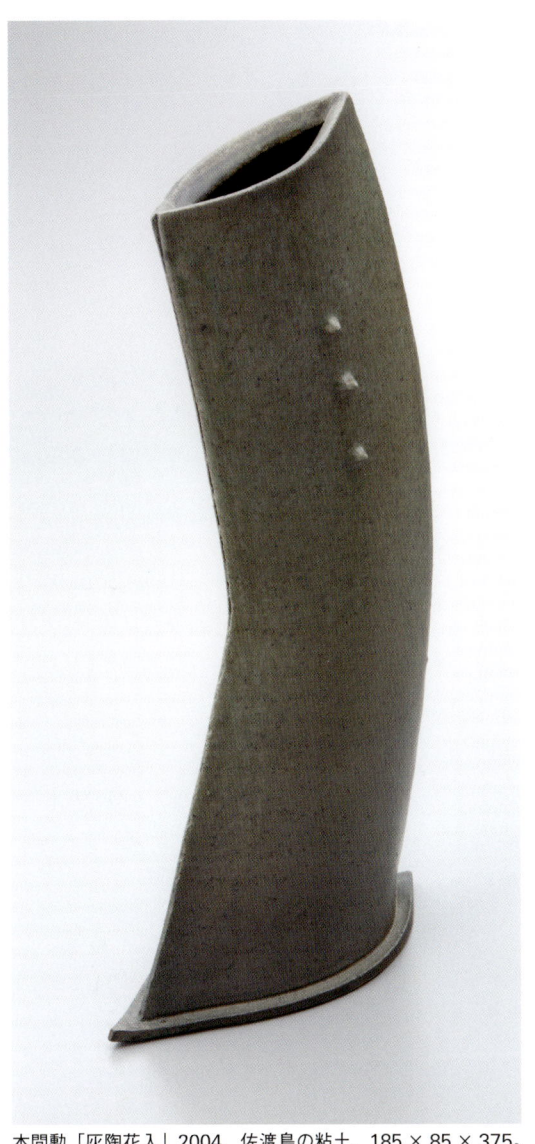

本間勲「灰陶花入」2004 佐渡島の粘土、185×85×375。8mm厚の板を成形し組み立て、松灰釉をスプレー掛け。

信楽焼の壺（部分）。長石や珪石を多く含んだ土の表情。

谷川美也子「しましまのうずまき」（部分）。酸化鉄や酸化マンガンを加え、重ねて成形した作品。

倉前幸徳「伊豆土シリーズ」2008 右から、伊豆土球体酒注ぎ120×150、伊豆土釉彩花器130×100×310、伊豆土六角面酒注ぎ120×150 伊豆土と市販の土を混ぜて本体を作り、表面に再び伊豆土を塗って成形。

●土の種類

土は、産出地や精製方法、配合等によって実に様々であるが、ここでは代表的な土を例に、粘土の状態(写真上段)、乾燥した状態(写真上から2段目)、素焼き(写真上から3段目)、本焼成後の状態(写真下段)を紹介する。

陶土(赤土と白土)

焼成後、多少の吸水性を持つ土を指す。

　赤土は鉄分を多く含んでおり、焼成後は薄茶から黒に近い色合いになる土を指す。土の状態では茶や黄土色等様々である。

　白土は少量の鉄分を含んではいるものの、焼成後ベージュや明るいグレイ等、白っぽくなる土を指す。土の状態では黒に近い灰色や明るい灰色等である。

炻器

焼成後、吸水性を持たない陶土を指す。あるいは陶土を高温で焼成し、吸水性がなくなるまで焼き締めたものを指す。

磁土

焼成後、吸水性を持たず白く焼き上がる土を指す。焼成温度は陶土よりも高温である。主成分はカオリン、陶石等。

半磁土

磁土と陶土の中間的な成分の土を指す。大きな作品を作るために磁土に2〜3割の陶土を混ぜる。磁土よりも焼成温度が低く、長石の割合が多い。

陶土・赤土　　　　　　　　　　　　　　　　　　　陶土・白土

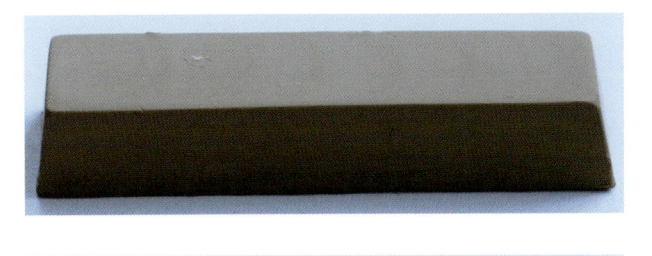

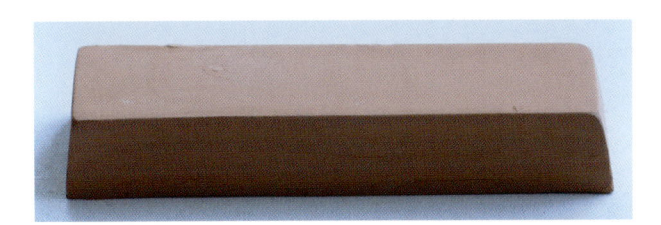

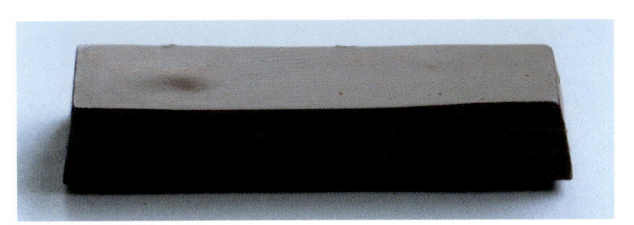

炻器

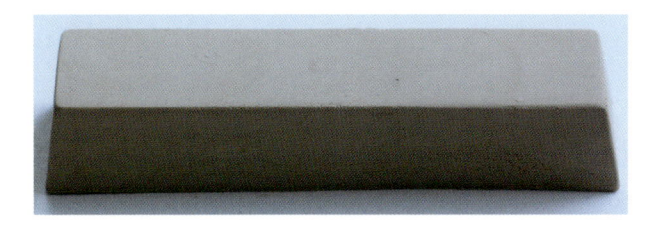

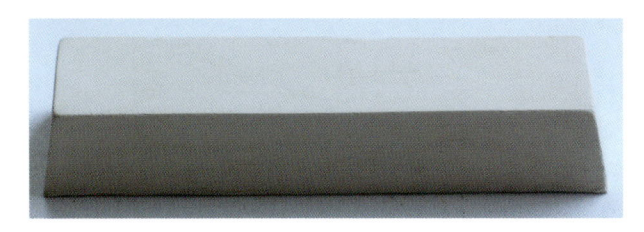

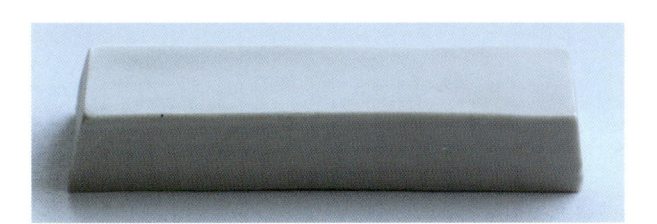

磁土

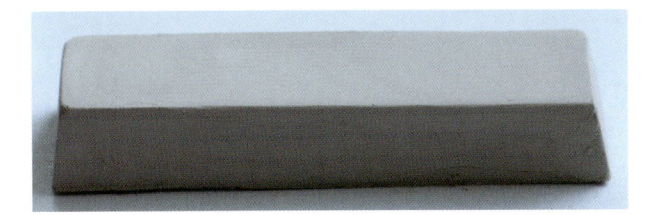

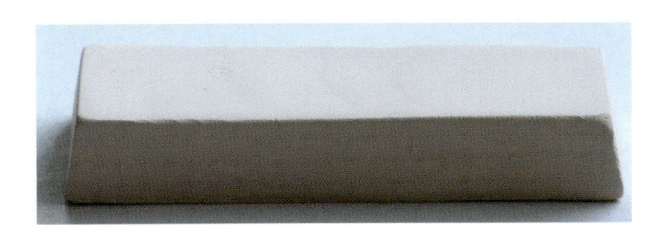

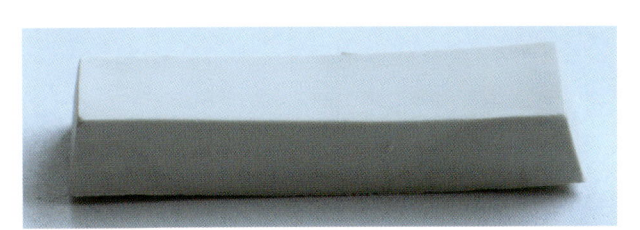

●テストピース作成データ

基本データ

温度：1275℃

時間：14時間

窯：電気窯

酸化焼成

土の産地

陶土の赤土と白土：信楽産

半磁土：瀬戸産

磁土：京都産

炻器：萬古産(ばんこ)

テスト結果

陶器は1200〜1260℃、磁土は1270〜1300℃、炻器は1100〜1200℃で焼成するのが一般的であるが、比較のためすべてを同じ条件で焼成した。その結果、炻器は温度が高すぎるため、火ぶくれがおきている。

半磁土

● 土を構成する主な原料

カオリン
中国の高嶺から産出された、白色に焼き上がる粘土に由来する名で、カオリン鉱物を主成分として耐火度は高い。

木節粘土・蛙目粘土
愛知県、三重県、岐阜県等が主産地である。可塑性が大きく、耐火度も高い粘土である。木節粘土は粘土層に炭化した木片を含むためにこの名前が付けられた。蛙目粘土は、雨に濡れた時に蛙の目のように光って見えるために、この名前が付けられたと言われる。

陶石
代表的なものは、佐賀県有田の泉山陶石、兵庫県出石の出石陶石や熊本県天草の天草陶石である。磁土の主成分になる。

珪石
珪石はガラスの原料としても用いられる。素地の原料として重要な役割を持つ。

長石
釉原料としても用いられる。1250℃前後でほとんどがガラス化する。耐火度の高い原料に加える。

カオリン

陶石

木節粘土

珪石

蛙目粘土

長石

2-2
土づくり

採集した土はそのままで使えることは稀で、精製して制作に適した状態にしていくことになる。代表的な製法は、はたきと水簸（すいひ）である。はたきとは、採取した土を乾燥させて木槌等で粉砕し、ふるいに通す等して不純物を取り除き、水を加えて練る方法である。

水簸とは、水を利用して不純物を取り除く方法である。採取した土を乾燥、粉砕した後に水に沈める。数日間そのままにしておくと、乾燥した土は水に溶けて崩れる。

水に溶けた土をよくかき混ぜ、放置しておくと小石等の重い不純物は底に沈み、軽いものは上水に浮いてくる。上水を切ると、沈殿した土の上部はきめが細かく、底に近づくほどにきめの粗いものになっている。底部分に沈んだ不純物を取り上げないように土を取り分ける。

ここでは、はたきの一般的な方法を紹介するが、産地や各作家によって異なり、制作意図により精製方法も工夫されているので完全に決まった方法があるわけではない。

はたきによる土づくり

1. 採取した土

2. 天日でよく乾燥させて、木槌やハンマーで砕く

3. ゴミや石等を除くために、ふるいにかける

4. 土に少しずつ、水を加える

5. 土が軟らかくなりすぎないように、水を加えながら混ぜる

6. 水と土が均一に混ざったらまとめて、ビニール袋等に保存する

●土練り

ここでは「荒練り」「菊練り」を取り上げ、色の異なる2種類の粘土の混ぜ方と、混ざっていく様子を紹介する。

荒練り

荒練りとは、粘土の硬さや質を大まかに均一にしたり、数種類の粘土を混ぜ合わせる時に用いる練りである。

1. 混ぜ合わせる粘土を用意する。
2. 足を軽く前後に開き、両手のひらを使って斜め前下に押し出すようにして練る。手の力ではなく、体重を上手く乗せて練るようにする(2-1, 2-2)。
3. 両側に広がってきたら(3-1)、折り曲げて再び繰り返す(3-2)。粘土がよい状態になるまで繰り返すこと(3-3)。

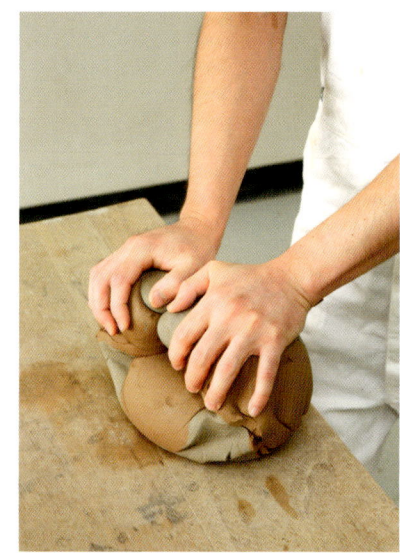

1.

2-1.

2-2.

3-1.

3-2.

3-3.

菊練り

荒練りができたら菊練りをする。菊練りはさらに粘土を均質に練り、空気を抜いて成形しやすい状態にするために行う。よく菊練りされた粘土はロクロ成形、手びねり等もしやすい。

1. 荒練りをした粘土をラグビーボール状にまとめて(1-1)、時計の10時の方向に傾けて置く。上部側面に左手、上部上面に右手を添える。それぞれは親指が軽く添うようにする(1-2)。

2. 左手で粘土を起こして右手のひらで斜め前下に向かって押す。左手で粘土を時計回りに少し回転させながら起こし、右手のひらで押す。

3. これを繰り返すと、やがて練ったところが菊の花びらのような襞状になる。同じリズム、同じ力加減で繰り返し押せるようになると、アンモナイトのような形になる(3-1)。粘土を十分に練ったらまとめに入る。押している右手の力を抜きながら、左手から少しずつ離していく(3-2)。

4. 急に力を抜くと、粘土に空気が入る原因になるので気を付ける。

1-1.

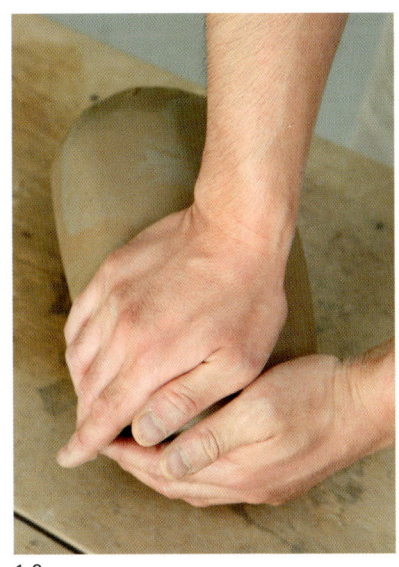

1-2.

2

3-1.

3-2.

4.

原料（土）

3章
成形技法

3-1

手びねり

西川聡

粘土の塊をひねり上げたり、ひも状にした土を積み上げて形を作る技法である。

　縄文式土器、弥生式土器等にも見られるように、1万年以上も前から行われてきた。近代的な道具や設備を用いなくとも、土器であれば野焼き（枯れ草や木材等を燃料にして、窯を用いずに焼く方法）によって焼成が可能であるため、アジア、アフリカ、中南米等世界の様々な地域で、現在も作り続けられている。

　この技法の特徴としては、回転体に限らず、様々な形態（楕円、角形、有機形態等）を自由に作ることができる。また、手のひらに乗る小さな酒器から、背丈を超える大きな造形物まで制作できる。同じ形を正確に、数多く反復生産することには不向きであるが、その反面、手を通じて土の持つ特性、質感を感じることができる。それは土という素材がどういうものかという理解を深めることに繋がっていくとも言えるだろう。

川田順造『人類の地平から』31ページ。（株式会社ウェッジ刊　2004）

●たま作り（ひねり出し）湯呑みの制作

1. 土をミカン大に丸め、親指で中心に穴をあけながら形を広げていく(T1)。
2. 土を回しながら指でつまみ上げるように形を作る。この時、後で高台（器の底部）を削り出すことを考え、底の厚みを残しておく(T2-1, T2-2)。
3. なるべく厚さが均等になるように形を整える。口の部分になめし皮を当て（T3-1、ロクロ参照）、切り糸で底を切り完成(T3-2)。
4. 土が半乾きの時に高台を削り出す。まず高台の大きさを決め、形を見ながら削っていく。外形ができたら高台の内側を削る(T4)。
5. 完成作品(T5)。

●ひも作り（輪積み）

1. 手回しロクロの上に土を載せ、叩きながら土を締め、器の底になる部分を作る。底の厚みは、作品の大きさにもよるが、1cm程度にする(H1)。
2. 両手で土を撚ってひもを作る。机の上で転がして伸ばしてもよい。ひもは均一な太さにすること(H2)。
3. ひもを輪状に一段ずつ積む。この時、土と土の継ぎ目をこすり上げるようにして、しっかり付ける（H3-1）。2〜3段積んだら形を修正する(H3-2)。形が広がりすぎたら、両手で土を寄せるようにして上へ伸ばす(H3-3)。
4. 叩き板を使って、土を締めるように形を整えていく（H4-1）。内ゴテを使って、内側から外側へと土を伸ばすこともできる(H4-2)。また外ゴテや輪カンナで外側の形を整えてもよい(H4-3)。大きい作品は、数回に分けて、3〜4の作業を繰り返しながら形を作る。この際重要なのは土の硬さである。あまり軟らかいと形が崩れるので注意する。
5. 底を削り完成(H5-1, H5-2)。

道具（叩き板、内ゴテ、切り糸、外ゴテ、コテ、カンナ、輪カンナ）

たま作り T1.	T2-1.	T2-2.
T3-1.	T3-2.	T4.
T5.	ひも作り H1.	H2.
H3-1.	H3-2.	H3-3.
H4-1.	H4-2.	H4-3.
H5-1.	H5-2.	

成形技法

● **造形物を作る・礒崎真理子の作品**

手びねりの特徴の一つに大物制作がある。大物を作る時に大切なことは全体像を明確にイメージしながら造形することである。とくに回転体でない形の場合は底部が重要となる。積み上げた土の重さで形が崩れないように、数回に分けて土の硬さを調整しながらひもを重ねていく。また柱や壁を作って補強したり、パーツごとに作ったものを後で組み合わせ、接合する方法もある。

大きな作品は乾燥に十分注意する必要がある。急激に乾燥すると亀裂やひびが入る。風の当たらない場所で全体を均一に、ゆっくりと乾かすよう気を付けたい。

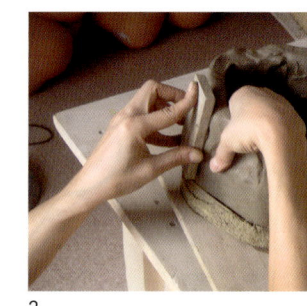

1.
2.
3.
4.
5.
6.

高台はなぜ必要か？

器物の底部には、たいてい高台（こうだい）と呼ばれる輪状の形をした部分がある。高台の形は様々であるが、これが付けられる理由はいくつかある。
・器の安定をよくする、持ちやすくする等使用するための利便性。
・高台を付けると重ねて焼成することができ、また焼成時の変形をおさえる役割がある。
・釉掛けがしやすく、乾燥中に亀裂が入りやすい底部の厚みを削る等、制作上のリスクを軽減できる。
・底や裏も含めた一つの立体として器物を捉え、デザイン性を持たせる。とくに茶碗等は、その形式美が鑑賞上重要となる。

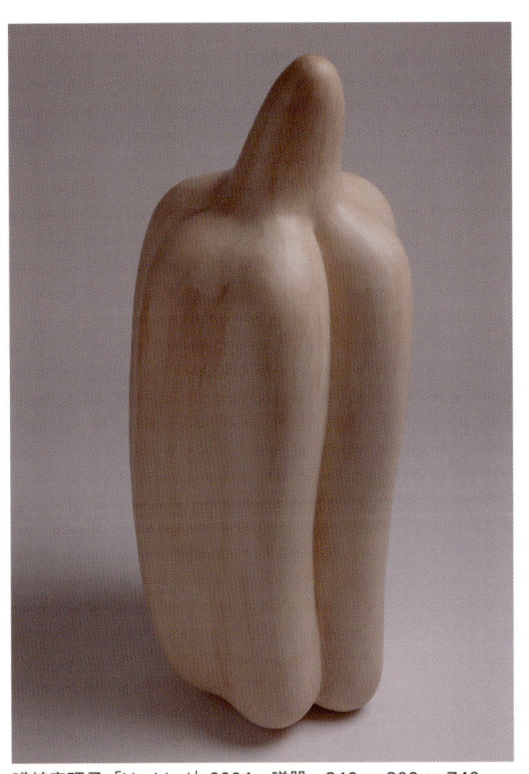

礒崎真理子「Untitled」2004　磁器。340 × 300 × 740

吉川千香子「華」2007　磁土、手びねり、鋳込み成形。120 × 130 × 73

西川聡「赤い器」2002　陶土、手びねり。φ 280 × 480

西川聡「長石釉花入」2000　陶土、手びねり。共にφ 70 × 350

成形技法　45

3-2

ロクロ（轆轤）

萩原千春

ロクロの起源や名前の由来は諸説あるが、「うろくり」が語源であるとされる。発明時期ははっきりしていないものの、古代エジプトの墓の壁画に描かれていることから、紀元前4000年前には使用されていたことがわかっている。

　ロクロは回転体を数多く作ることに優れる。日本では成形が右回転であり、西洋等は左回転である。日本は内側を重視するため、利き手で器の内側を作りやすいように右回転になり、西洋では外側を重視するため左回転になったという説がある。

　手仕事の場合、金属、木材は回転体への加工に非常に時間がかかるが、その点、陶磁のロクロ成形は一瞬にして形を変えることができる。実際に立体として形を検討するうえで非常に有効である。また成形後も、焼成しなければ何度もやり直すことができる。

● ロクロの種類
主なロクロを紹介する

1. 卓上ロクロ
手びねり成形や絵付け等、様々な工程で使う。いろいろなサイズがあり、鋳物製でベアリングが軸に内蔵されており、滑らかに回る。

2. 蹴りロクロ
下部に足で蹴る部分があり、足で蹴りながら成形する。天板と蹴る部分の重さにより、手回しロクロと同じように惰力で回る。

3. 電動ロクロ
一般的に普及しており、モーターにより回転する。足で踏むペダルがあり、これを踏み込むことによって回転が増す。クルマのアクセルに似ている。スイッチにより、右回転と左回転を選ぶことができる。

4. 手回しロクロ
ロクロ上面外側にある窪みに棒を差し込み回す。木製で板は厚く、その重さの惰力によって回転する。

1.

2.

3.

4-1.

4-2.

4-3.　景徳鎮の手回しロクロ

●飯碗のロクロ成形と削り仕上げ
電動ロクロを使った飯碗の成形工程を学ぶ

1. 粘土をロクロに据える
菊練りをした土をロクロの中心に据える。天板(てんばん)に水を付けると滑ってしまうので濡らさないようにする。据えた粘土がなるべく回転に添うように時計回りにゆっくりと回しながら、手のひらで叩いて形を整える。

2. 土殺し
粘土をさらにロクロ上で中心に据えるために行う。ロクロ成形の準備段階で土殺しをしっかりと行うと、後の器の成形が滑らかになる。両手に水をたっぷりと付けて滑りをよくする。土を両手のひらで挟み込み、天板と土の境目から、斜め前に押し上げるようにすると長く伸びていく（2-1）。伸びた土を斜め前に傾けると下がっていく（2-2）。これを繰り返すことで中心が出てくる。

3. 土取り(つちどり)
作りたい器に使う粘土の量を、くびれを付けて選り分ける。両手の中指を使い、じんわりと手前に押すことで、区切りを付ける。

4. 碗の形に整える（成形1）。
土取りをした塊の中心よりもわずかに左を、左手親指で軽く押し下げて、器の底を決める。ここから碗の形にしていく（4-1）。碗の腰のあたりから口までを右手の指と左手の指で挟んで伸ばしていく。

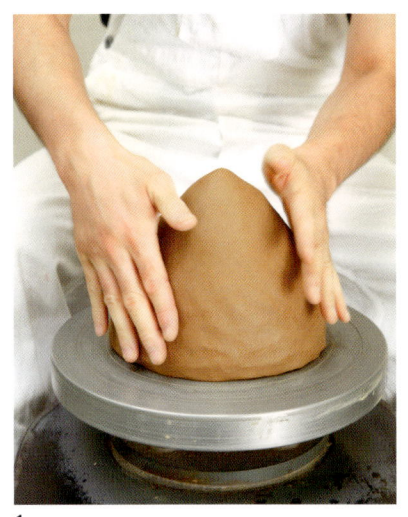

1.

2-1.

2-2.

3.

4-1.

4-2.

指をたくさん使うと摩擦が多くなり、作りにくい。不安でも指一本ずつで挽くようにする（4-2）。脇を締めて両手の親指を重ね、ぶれないように支え合いながら繰り返す。器に刷毛で水を与えたり、成形中に手に付いてくるドベを使いながら指先がよく滑るようにしておく。丁寧な力の加減が必要である。

5. なめし皮を当てる（成形2）
形ができ上がってきたら器の口もとになめし皮を当てて仕上げる。なめし皮の使い方で器の性格が大きく変わるので大切な工程である。右手の中指と人差し指で挟み込み、親指と人差し指の間で弛ませて使う。

6. しっぴきで切り離す（成形3）
しっぴきを使って切り離す。ロクロをゆっくりと回転させ、切り離す場所に糸を当て、右手を離すと、糸は自然と巻き付いていく（6-1）。水平に引くことが大切である。両手の中指と人差し指でそっと取り上げる（6-2）。

7. 湿台（しった）を据える（削り1）
碗を水挽する時に、湿台も作っておく。碗の腰の大きさよりも少し大きいくらいの直径で作り、口もとはラッパ型に開いておくと削ることによって調整できる。ロクロの中心に据える。

8. 高台を削る（削り2）
指で軽く押しても形が変わらなくなるまで乾けば削ることができる。削りのタイミングは粘土の種類や作者の好

5. 　　　　　　6-1. 　　　　　　6-2.

7. 　　　　　　8-1. 　　　　　　8-2.

み、ねらい等によって大きく変わってくる。碗を逆さにして湿台に水平に据え、底を水平に削る。高台の脇を削り高台の径を決める（8-1）。その後に内側を削る（8-2）。高さを調整して角が立たないように面を削るか指でなめす。削りの作業に集中するあまり、器を水挽した時のイメージから離れてしまいがちだが、水挽と削りで一つの形を作るという意識が大切である。

削りの時に使う湿台（右から皿用、ポット用、飯碗用、ポットの蓋用）

成形のための道具（コテ、柄ゴテ、ヘラ、トンボ、しっぴき、なめし皮、刷毛、削りカンナ）

左：灰釉飯碗、右：粉引飯碗

左：白磁鎬飯碗、右：染付飯碗

成形技法　49

●皿のロクロ成形と削り仕上げ

1. 亀板を据える
亀板をロクロに据える。あらかじめ天板の上に薄い板状の粘土板を作り、溝を付けておく(1-1)。ロクロをゆっくりと回転させながら拳で叩いて動かないように密着させる(1-2)。

2. 粘土を据える
練った粘土を据える。ロクロを回しながら粘土を叩いて中心に据え、挽きやすいように平らに伸ばす。中心を窪ませておく。

3. 水挽
布やコテを使いながら形を作る(3-1)。目標の形にするために段々と形を開いてゆく(3-2)。仕上げになめし皮を当てる(3-3)。

4. 亀板をはずす
亀板と皿の間に、切り糸が入りやすいようにヘラで境目を付ける。切り糸で切り離す(4-1)。亀板とロクロの間にヘラを入れ、てこの原理で亀板をロクロからはずす(4-2)。

5. 削り仕上げ
皿の形をうまく支えられる径の湿台(しった)に据えて高台を削り出す。

1-1.

1-2.

2.

3-1.

3-2.

3-3.

小坂明「焼締拭漆鉢(やきしめふきうるしばち)」2008　陶土。φ290×70。焼き締めた後、拭き漆焼付け。

藤井憲之「青白磁　二重鉢」2008　磁器。φ210×65

4-1.　　　　　4-2.　　　　　5.

成形技法　51

●ポットのロクロ成形と削り仕上げ、組み立て（茶漉しづくり）

1. 水挽

ポットの本体 (1-1)、蓋 (1-2)、注ぎ口 (1-3) を水挽する。本体や注ぎ口を水挽する時は、柄ゴテを用いて挽く。内側に指が届かない深さや、指先よりも細いものを挽く時は道具を使う。

2. 茶漉しづくり

石膏型に粘土を貼り込み、ポンスを使って穴を開ける。穴を開け終えたら型からはずし、竹串等で外側からも穴を整える。

3. 持ち手づくり

水を付け、下に引きながら伸ばす。持ち手の作り方は様々な方法がある。タタラづくりの他に、ロクロで水挽することもできる。作者の意図によって成形方法が選択される。

4. 削り仕上げ

本体 (4-1) と蓋 (4-2) を削る。本体は茶漉し、注ぎ口、持ち手を接着するので、乾き具合を調整する。乾きすぎは組み立てた時に傷が付きやすくなる。また、蓋と本体の乾き具合をできるだけ同じ程度に調整し削りをしておくと、完全に乾燥した後も合わせ具合がよい。

5. 組み立て

注ぎ口の根もとを斜めにカットし、本体に当てて取り付

1-1.

1-2.

1-3.

2.

3.

4-1.

ける位置を決める。その後、そこに穴を開け、外側から茶漉しをはめ込む。注ぎ口の根もと部分と、本体の注ぎ口取り付け位置のそれぞれに傷を付けてドベを塗り(5-1)、しっかりと密着させる (5-2)。持ち手を付ける時も同様にしてドベで密着させる (5-3, 5-4)。注ぎ口と持ち手が一直線になるように注意する。蓋に空気抜きの穴を開ける (5-5)。組み立てた直後はゆっくりと乾燥する。接着部分に傷が出やすいので、急乾燥しない。

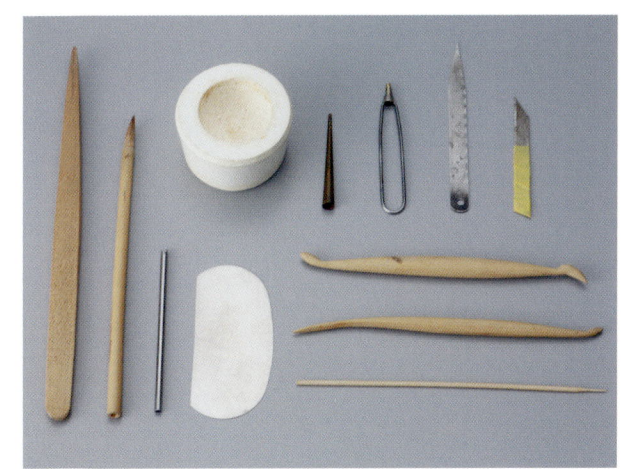

ポット組み立てのための道具（ポンス、茶漉しの型、スクレイパー、ヘラ、竹串、剣先、筆）

4-2.

5-1.

5-2.

5-3.

5-4.

5-5.

成形技法　53

| 作品紹介 | 萩原千春 |

1.
2.
3.
4.

1. 柿釉土瓶　陶土　2008　150 × 170
2. 炭化焼き締め急須　陶土　2008　145 × 85
3. 青磁ポット　磁土　2008　160 × 95
4. こども飯事シリーズ　磁土　2008　185 × 70 他

3-3
板づくり

西川聡

板づくりとは、土を板状にしたものを使って成形する技法で、タタラづくりとも言う。土の板は、その目的によって様々な作り方がある。たとえば、土の塊を手のひらで叩き伸ばせば板状になる。また、タタラ板と呼ばれる木板、のし棒、タタラ成形機等を使えば、均一な厚みの板を複数作ることができる。

　板づくりでは、制作する作品の形状によって硬さを調整することが重要である。硬い粘土板を使うことによって、木や、金属で作られるようなきっちりとした形を作ることができ、軟らかい粘土板を使えば、布のようなしなやかな表現が生まれる。また、型を使用して碗や皿等を量産することもできる。これを型おこしと言う。

●板の作り方
1. 手や道具を使って土を板状に伸ばす。厚みが不均一であることを長所として生かすこともできる。
2. のし棒を使うとより均一な厚みの粘土板ができる。土に圧力が加わるため、焼き上がりの歪みが少ないという長所がある。大きな板を作る場合はこの方法を用いる。
3. 同じ厚さの板が複数必要な場合は、タタラ板を土の塊の両側に置き、切り糸でスライスする。（3-1, 3-2）

1.

2.

3-1.

3-2.

いろいろな粘土板
伸ばしたバネで切った粘土板、文様を彫った石膏板の上で作った粘土板、波板の上に置いて乾かした粘土板。

のし棒、タタラ板、定規、叩き板、弓、切り糸、外ゴテ、針、蚊帳布

タタラ成形機

矢尾板克則「小屋」2007　140×130×150、「陶板」2008　300×300×40。

56　成形技法

●箱を作る

粘土の板を使って立方体の箱を作る。持ち上げても変形しない程度の硬さの粘土板を用いて木の板のように組み上げた例と、まだ幾分軟らかい粘土の板で、型を使って作る例を紹介する。板づくりでは土の硬さによって様々な表現が生まれる。

硬い粘土で作る

1. 厚紙で作った型紙をもとに各パーツを切る。立方体のように組み立てて作品を作る場合はあらかじめ粘土を木板に挟み、少し硬くしてから使うとよい。
2. 接合する面の双方に傷を付け泥漿を塗る。
3. この時、泥漿がはみ出るくらい強く押さえ、しっかりくっつける。
4. 合わせ目をヘラ等でよく押さえ、内側に細い撚り土を付けて補強する。外側を削り整える。

軟らかい粘土で作る

1. 曲げてもひびが入らない程度の硬さの粘土板を厚紙で作った型紙のサイズに合わせて切り、粘土板を型に巻き付け形を作る。
2. 接合部分に傷を付け、泥漿を塗り、押さえ付けるようにしてくっつけ、内側の型を抜き完成。

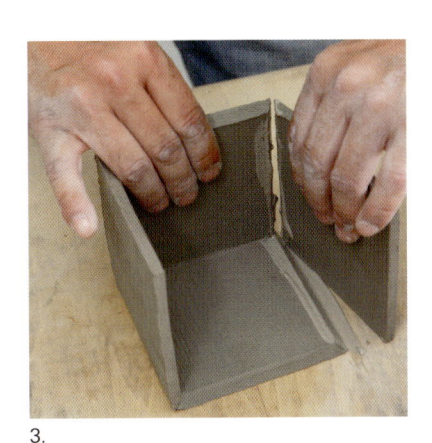

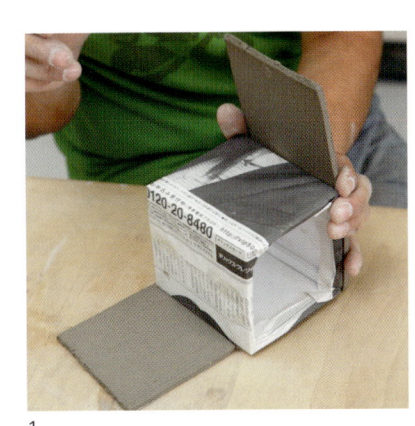

1.

2.

3.

4.

1.

2.

成形技法

●型おこしによる楕円鉢の成形

型を使った板づくりの方法で、主に皿や鉢等同型のものを複数作ることに適した技法である。型は石膏型、素焼き型の他に、粘土を乾燥させたものや木型もある。また、凹型を使った貼り込みという技法もある。

1. 厚紙で作った型紙に合わせて粘土板を切る。
2. 型に片栗粉をふり (2-1)、粘土板を載せ (2-2)、蚊帳布を被せ、型に沿わせながら手のひらで全体を叩いて押さえていく (2-3)。片栗粉は離型しやすくするために、蚊帳布は土を締めるために用いる。
3. 底の部分に、細い撚り土を付け、平らになるように叩き板で叩いて締める。
4. 木板に紙を敷き、その上にひっくり返して置き、型を持ち上げ、型からはずす。

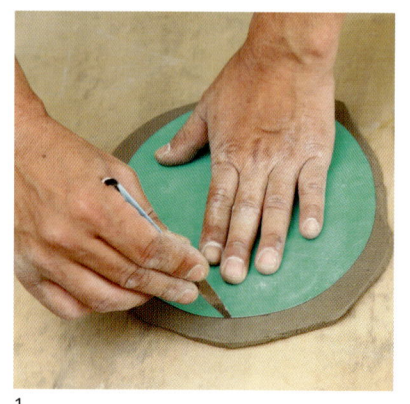

1.

2-1.

2-2.

2-3.

3.

4.

大町彩「drawing dish」2007-2008　陶土、タタラ成形。φ320×110 他

坂田有貴「箱」2006　タタラ成形。190×210×200

宜興の急須づくり

中国茶器で有名な宜興窯(ぎこうよう)は、世界でも例を見ない珍しい技法によって急須を作っている。板状に伸ばした土を丸めて筒状にし、土で蓋をして密封する。それを回転させながら叩き、少しずつ壺形にして急須の本体を作る。ロクロで挽いたかのような正確な回転体をいとも簡単に作り上げるこの方法は、板づくりの応用と言える。

1. 叩き伸ばした土の板(1-1)を丸めて筒状にする(1-2)。上部と底部は土で蓋をして密封する。
2. 回転させ叩きながら少しずつ形を作っていく。
3. 蓋を作り、把手と注ぎ口を付ける。

高振宇

1-1.

1-2.

2.

3.

成形技法　59

3-4
型押し

磯谷慶子

型押しは、粘土を型に押し込んで同じ形のものを多く作る成形技法である。ロクロでは作れない不定形やレリーフタイル等を量産することに適している。ここでは、タイル成形の過程を通じて、石膏の作り方や型の取り方を学ぶ。

●レリーフタイルの作り方

1. 粘土で原型を作る。収縮率を計算し、実際のサイズに収縮率を加えて大きめに作る。ここで使っている土の場合、粘土から焼き上がりまで約13％縮む。
2. レリーフ面と側面が石膏型から抜けるよう、必ず原型に抜け勾配をつける。
3. 石膏の厚みが約3cmになるように外枠をセットし(3-1)、流した石膏がもれないよう外側から粘土で押さえる(3-2)。
4. 石膏を溶き流し込む。外枠は先にカリ石鹸（離型剤）を塗っておくこと(p62 石膏の作り方参照)。
5. 石膏の温度が最高発熱に達したら外枠を取る。最高発熱は大体お風呂の湯温程度で、手でさわるとはっきりと熱さが感じられることを目安にする。
6. ヘラで粘土原型を取る。
7. 石膏型が欠けないように外側の縁を面取りして仕上げ、乾燥させる。
8. 石膏型の隅々に粘土が入り込むように強く押し(8-1)、粘土がよく締まるように叩く。石膏型からはみ出した粘

土は、型の縁に沿ってヘラ等で取り除く(8-2)。上に盛り上った部分も、切り糸を使って整える(8-3)。
9. 石膏が粘土の水分を吸うと、型と粘土の間に少し隙間ができるので、逆さまにして出す。
10. 完成。レリーフタイルによるモチーフの繰り返し。

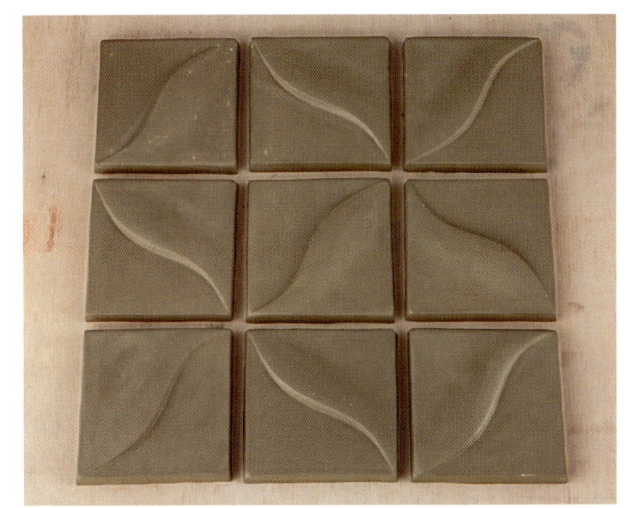

10.

6.

7.

8-1.

8-2.

8-3.

9.

● 石膏の作り方

石膏は水と混ぜると化学反応を起こして固まり、流し込みによって自在に成形ができる。また、短時間に成形ができ作業が容易である。

水と石膏の割合

石膏を適度な軟らかさにするために必要な水の量（混水量）はメーカーによって違うので、必ず確認し、正確に計量して使う。

混水量＝石膏100gに対する水量（単位％）

1. 道具

写真左上から時計回りに、石膏、混ぜ合わせるための容器、混ぜ棒、水を量るためのメジャーカップと水、カリ石鹸、刷毛、海綿。水を入れると、石膏は思った以上に量が増えるので、溢れないよう大きな容器を選ぶ。また、道具は、前回の石膏が付いていないよう、毎回よく洗ってから使う。

2. 準備

外枠にカリ石鹸を摺り込むように塗り (2-1)、余分な泡を海綿で拭き取る (2-2)。

3. 混ぜる

石膏をゆっくりと水面全体に入れる (3-1)。1分間そのままに置いてなじませた後、少し粘りが出るまで一定速度で撹拌する (3-2)。

1.

2-1.

2-2.

3-1.

4. 流し込む
粘りが増してきた石膏はあっという間に固まるので速やかに型に流し込む。その際、気泡を入れないよう注意する。

5. 脱型
石膏の温度が最高発熱に達すると硬化終了になる。直後に型からはずす。
石膏の乾燥時間は通常室温で、風通しのいい場所で約1週間程度。石膏は乾燥させることによって、水分を含んだ状態の約2倍の強度を持つ。容器や道具に付いた石膏は、固まると後始末に手間取るのですばやく洗う。

10cmの立方体を石膏で作る場合の石膏と水量の計算

1. 石膏の容量を計算する。
立方体の体積10cm × 10cm × 10cm=1000cm^3
＝石膏の重量となる。
石膏量は1000cm^3 = 1000g（1kg）
2. 1000g（1kg）の石膏を溶くために必要な水の量を計算する。混水量は75％。
1000g × 0.75（混水量75％）＝ 750cc
石膏を溶くために必要な水は750cc。
750ccの水に1000gの石膏を入れて攪拌し、10cm × 10cm × 10cmの容器に流し込むと、10cmの立方体ができる。

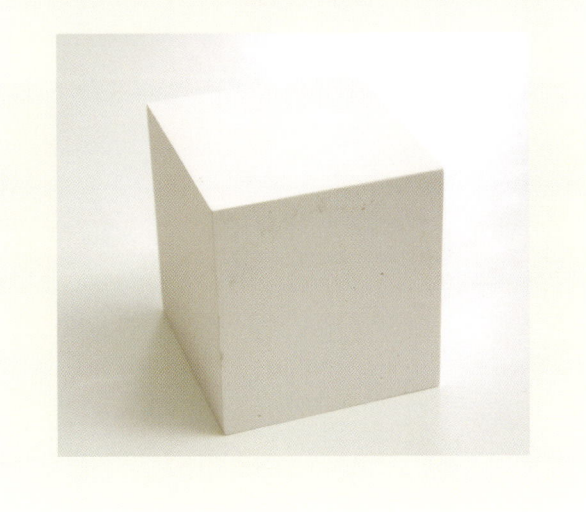

3-2.

4.

● いろいろな型

箸置きの型

レリーフ用の型

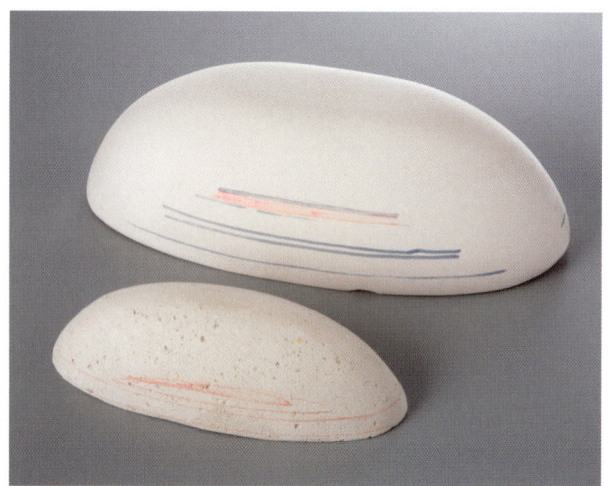

楕円鉢の型（素焼き型）

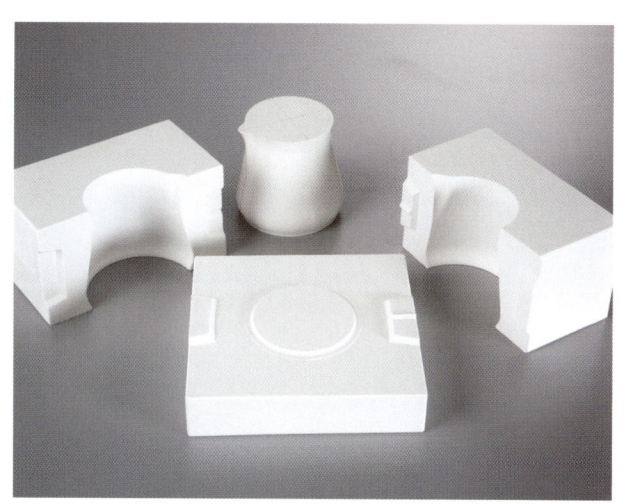

クリーマーの鋳込み成形型

角鉢の型

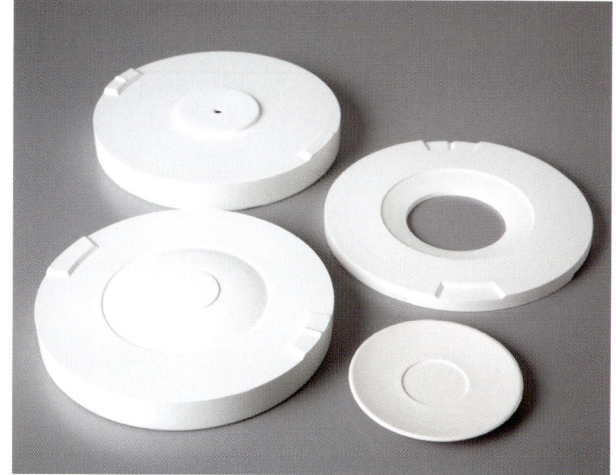

皿の圧力鋳込み成形型

3-5

鋳込み成形

磯谷慶子

鋳込み成形は、石膏の特性である吸水性を利用した成形技法である (1 章 p.14 参照)。型には石膏が多く使われるが、中国の土偶や古代ペルシャの形象土器の型には木型や素焼きの型が使われていた。やきものの歴史の中ではもっとも古くからある技法の一つだ。

● クリーマーの作り方

1. 石膏で作った原型に、抜け勾配ができるよう割り線を書き、原型の底面が垂直に、割り線が水平になるよう横に倒して割り線の下半分を粘土で埋める。線に沿ってヘラでていねいに面を作る (1-1, 1-2)。写真での説明は省くが、この後、外枠を組み石膏を流す前に必ずカリ石鹸を塗ることを忘れない。

2. 原型周囲の石膏の厚みが 3 cmになるよう石膏を流す。
3. 石膏が固まったら裏返して粘土を取り除きツメを彫る。写真はツメを彫っているところ。
4. もう片方の型を取るため、石膏型に原型を戻し、原型と石膏型の隙間に水で薄めた泥漿を塗り、石鹸止めをする (4-1)。石膏型の内面にカリ石鹸が付くと鋳込めなくなるからである。反対側も同様に石鹸止めをする (4-2)。余分な泥漿はヘラで取り除く。
5. 原型と石膏型の割り面にカリ石鹸を塗り (5-1)、工程2と同じように外枠を組んで型を取る (5-2)。
6. 石膏が固まったら外枠をはずして (6-1)、手前に倒し、底面の型を取るためにツメを削り (6-2)、再び、石鹸止

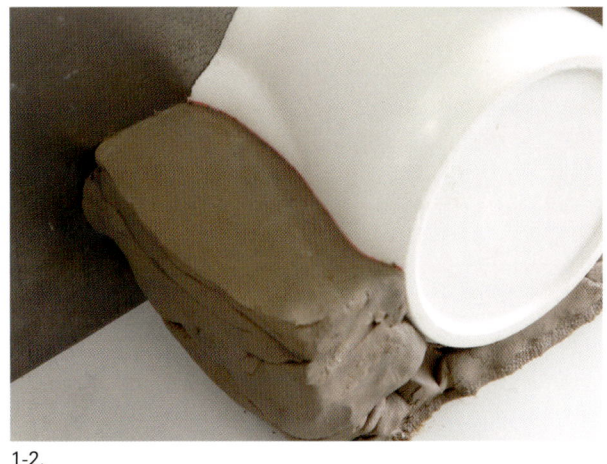

1-1.

1-2.

2.

3.

めとカリ石鹸を塗り、外枠を組んで石膏を流す。

7. 石膏が固まったら外枠をはずし、石膏型の外縁を面取りし、鋳込み作業中に欠けないように仕上げる。

8. 底部の完成。

9. こうして、先に作ったクリーマー原型をもとに、左右の石膏型、底部の石膏型が完成する。石膏型に泥漿を入れ一定時間で排泥すると、クリーマーができ上がる。

新田つぎ「片口」2002　磁器、排泥鋳込み。105 × 80 × 75

4-1.

4-2.

5-1.

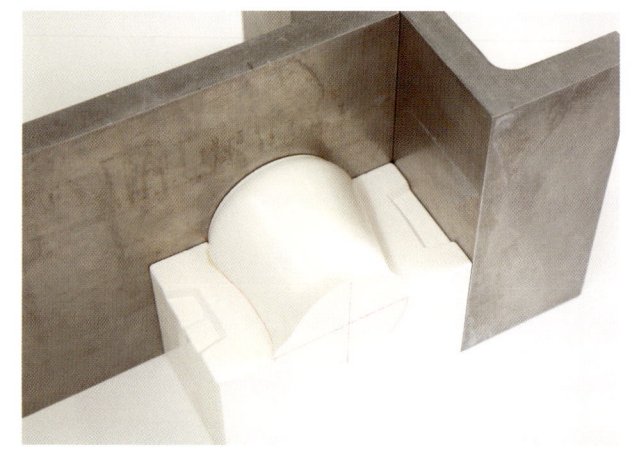

5-2.

66　成形技法

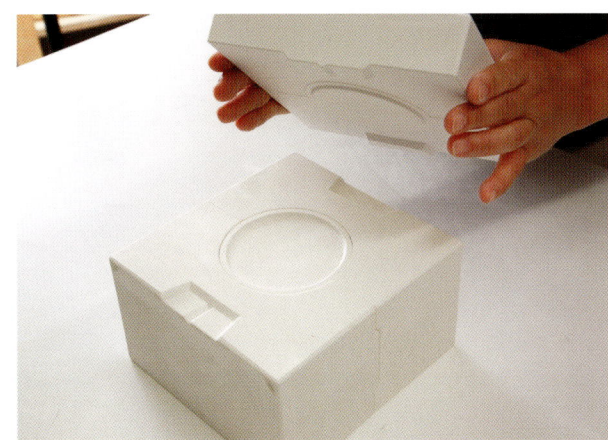

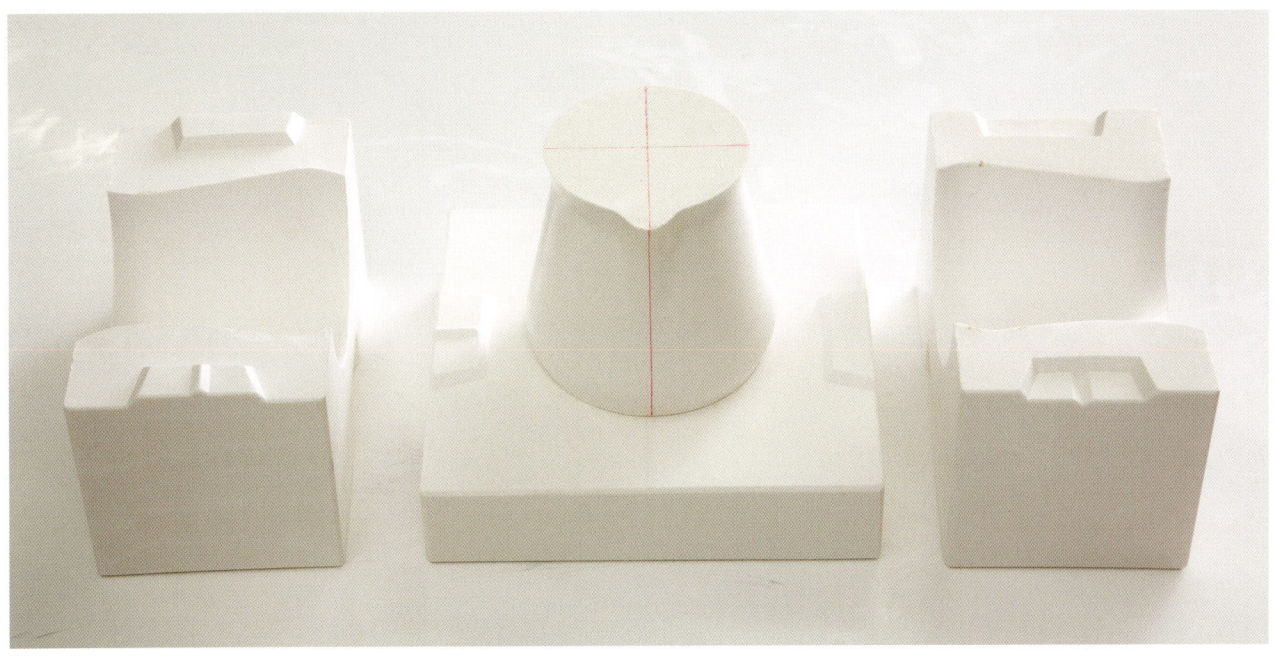

6-1.

6-2.

7.

8.

9.

成形技法　67

4章

装飾技法

4-1

絵付け

萩原千春

素焼きした素地に絵付けをして釉薬を施し本焼成することを下絵付けと言い、素地に釉薬を施して本焼成後に釉上に絵を描き、低火度（800℃前後）で焼付けることを上絵付けと言う。下絵は酸化コバルトを多く含む岩石を粉砕して用いたのが始まりである。施釉後、焼成前に釉上に絵付けをするイングレイズという技法もある。

● 下絵の具

下絵の具の代表的なものに紅柄（べんがら）（酸化第二鉄）と呉須（ごす）がある。それらの絵の具で描かれたものは鉄絵、染付と呼ばれる。一般的には酸化金属類や、それらを多く含む土石類を下絵の具とすることが多いが、1300℃前後で一度可燃したものを粉砕して下絵の具とする方法もある。

他の絵の具と異なる下絵の具のいちばんの特徴は、描いた時と焼成後の色合いが変化する点である。ペンキを塗るのとは違い、素地の色合いが透け、釉薬、焼成方法によっても発色は変化する。描いた時には見えなかった濃淡が現れる。豊かな階調表現ができるが、下絵の具の濃淡を使い分けるためには経験が必要である。現在は、粉末状に調合された純度の高いものが専門店で入手できる。

下絵の具の準備

下絵の具を乳鉢で擂る時には煮出した緑茶を使う。お茶に含まれるタンニンが下絵の具と化合して、素地に対する定着をよくすると言われている。また擂るほどに微粉末になり発色がよくなる。

● 下絵付け

下絵付けには幾種類もの表現方法があり、また工夫次第で無限の可能性がある。ここでは代表的な表現技法を紹介する。

ダミ

濃い呉須で骨書き（輪郭）を描き、その後に淡い呉須でダミ筆を用いて色を付ける。ダミ筆に含ませた呉須を絞り出すようにして、筆先は素地に触れさせず、したたる呉須を操り色面を作っていく。

筆で描く

呉須の濃度、筆の種類によって様々な表現が可能である。筆先をカットしたり、焼いたりと、筆を加工することもある。

引っ掻き

呉須で描いた色面を尖った道具で引っ掻いて線を描く。釘や千枚通し、ピアノ線等を使う。

撥水剤を使う

撥水剤を塗った素地を尖った道具で引っ掻き、素地が見えたところに筆を使って呉須を入れていく。撥水作用のために容易に線に色が入る。筆で描くのと異なる表現ができる。

ダミ

筆で描く

引っ掻き

撥水剤を使う

下絵付けの基本的な道具（右から：乳鉢、乳棒、鉄筆、筆）

川﨑忠夫　「染付桑木文平鉢」1990　磁器、染付。φ320×80　撮影：小林庸浩

林京子　格子点文飯碗（φ120×55）、山羊図飯碗（φ120×60）、格子点文湯呑（φ83×90）、線文角長皿（250×125×25）1998　磁器、染付、鉄絵。

装飾技法　71

●上絵の具と焼成温度

上絵の具は本焼成をした作品に絵を付けて800℃前後で焼付ける。上絵の具は鉛を含んだ調合が古くから使われているが、近年では無鉛の絵の具もある。絵の具は擂れば擂るほどに発色がよくなる。ガラス板の上で丹念に擂りあげる。下絵の具と同様に煮出した緑茶を用いることもある。本焼成後の素地に吸水性がないので、定着をよくするために、下地に膠を塗ったり、絵の具にCMC（カルボキシメチルセルロース）や大和糊を少量添加することもある。地方や作家により工夫は様々である。本焼成した器物に手指の脂を付けると上絵の具をはじいてしまうので、取り扱いには注意が必要である。

上絵付けの焼成は、窯や窯道具（棚板やツク）が乾燥している時に行う。本焼成後の窯を使うのがよく、窯が湿気を持っていると素地に酸化膜が付き、艶がなくなることがあり発色にも影響する。金彩や銀彩は若干温度が低めなので（750℃前後）、別に焼付ける。

上絵の具の準備

ガラス板上で擂り棒を使って擂る。煮出した緑茶を使うこともある。

筆を用いて描く

筆の種類で線の質や表現が変わってくる。

引っ掻き

上絵の具で描いた色面を竹串等で引っ掻いて線を描く。

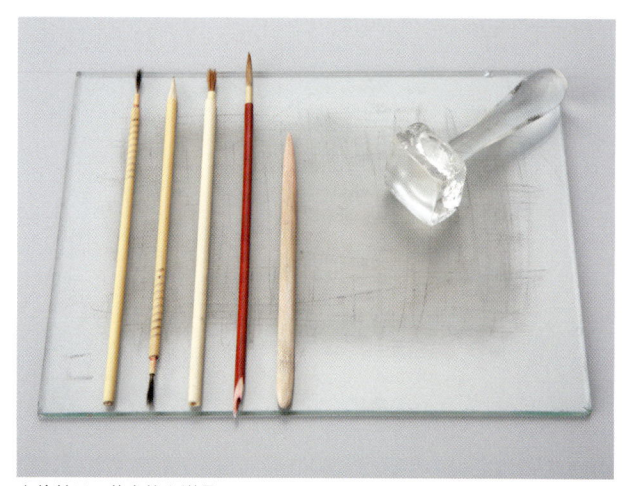

上絵付けの基本的な道具

関根昭太郎「日記」コーヒーカップ＆ソーサー　2008　磁器、上絵付け。カップφ95×50、ソーサーφ145×30

川﨑忠夫「色絵岩しゃじん文変型深鉢」1996　磁器、色絵。400×300×150　撮影：小林庸浩

装飾技法　73

4-2
印と象嵌
磯谷慶子

●印

粘土が軟らかい時に、いろいろな形の印を押して文様を作る方法である。また撚り糸（ひも）を棒に巻き付けた道具を素地に転がして縄目文様を付ける方法がある。縄文式土器の文様として親しみ深い。ひものねじれ、巻き付け方によって様々な縄目文様ができる。貝や木の葉等、身近にあるものを工夫して作るのも楽しいだろう。櫛、文房具、調理道具、裁縫道具等をオリジナル印として使うアイデアもある。複数を組み合わせたり重ねたりすると、おもしろい効果が発見できる。

整然と押す、無作為に押す、また押す時の強弱等、押し方によって表情が変わるのが印材のおもしろさだ。印を押した上から化粧土を塗り、削って凹んだところに文様を残す三島手という技法があるが、これは象嵌の一種である。

縄目

ネパールの木印

石膏ローラー

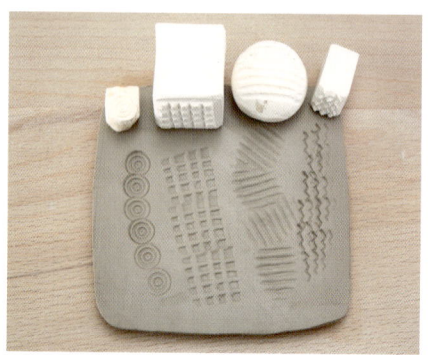

様々な石膏

小松誠「刻印のある石ころ」1981　80×100×20、90×110×25

棒状石膏	 葉	 ネット
 フィルムキャップの縁	 スポンジメッシュ	 蚊帳布
 植物の種や実（蓮）	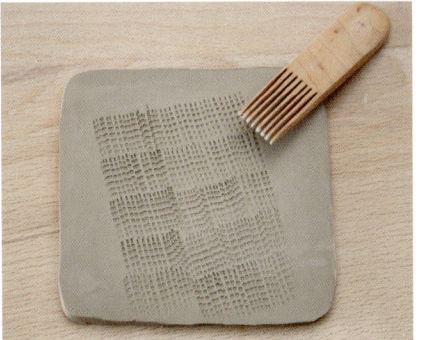 櫛	 印を貼り付ける
 調理道具	 鉛の活字	 ひも

装飾技法

● 象嵌

素地に印を押したり、線や文様を彫り込んで凹を作り、違った色の粘土を埋めて文様を作る方法である。高麗青磁等はその代表的な作品である。

彫る道具は、カンナ、ヘラ、竹串の先を好きなように削ったもの、釘、ドライバー等。好みの道具を作ってみよう。

1. 粘土が半乾きの状態の時に文様を彫る。彫る深さは作品により異なるが素地の1/3〜1/2程度が適当である。
2. 彫り込んだ文様の隅々に違う色の粘土が入るよう、刷毛でしっかり押し込む。
3. 素地と埋め込んだ粘土が同じ硬さになるまで1日程寝かし、溝からはみ出した余分な粘土を削り落とす。

赤瀬圭子「土と釉の象嵌シリーズ／とうがらし皿」（部分） 1998 φ290×32

1.

2.

3.

象嵌の道具（ヘラ、輪カンナ、化粧土 削る道具、スクレイパー、刷毛）

4-3

彫り
萩原千春

器物を形づくってから、乾燥までに道具を用いて彫り込みをする装飾方法である。素焼きをした素地に彫ることもある。粘土は生の時にはとても軟らかく、容易に彫りをすることができる。刃物のようなものを用いる場合や、釘の先端や木の枝、指先でも彫りをすることはできる。乾燥した素地は、ある程度の硬さになるため、先端の鋭い道具や、カンナ等の刃の付いたものを用いることが多い。粘土の特性や、どんな彫りをするかによって、彫るタイミングは様々である。

●線彫り
半乾きあるいは乾燥した素地に、釘のように先端の尖ったもので引っ掻くようにして文様を彫る。道具や素地の乾燥のタイミングや道具を工夫することによって様々な表現ができる。
1. 生の土に竹串で線彫りをする。素地が軟らかい時は軟らかい線、乾燥が進んだ素地は硬い線の表現になる。
2. 自分で工夫した道具で彫る。

田中啓一「Bulbous」2006　白化粧、引っ掻き、象嵌。φ150 × 200

氏家龍次「白マット釉櫛目文急須」1995　信楽赤合わせ土、ロクロ成形。160 × 125 × 70

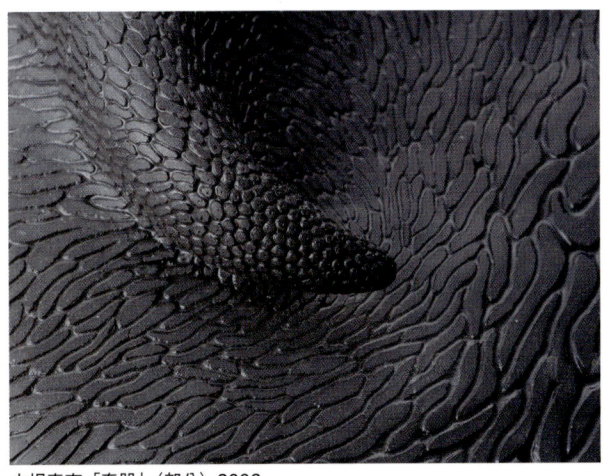

山根真奈「蠢器」（部分）2006

装飾技法　77

1. 竹串で彫る

2. 鉄筆で彫る

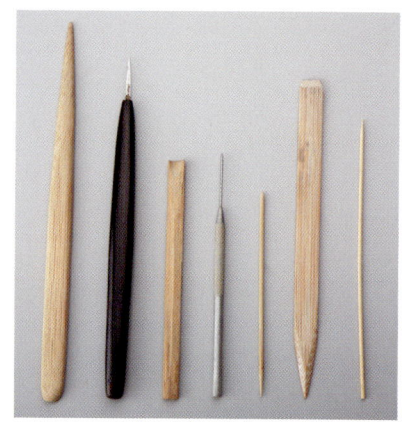

線彫りの道具（竹串、鉄筆）

● しのぎ（鎬）

乾燥した磁土にカンナを用いて彫りを施す。釉薬を施して焼成することにより、彫り込んだ部分に釉薬が溜まり文様が強調されて見える。カンナは竹や鉄、プラスチックを材料として作る。雨傘の骨を用いる作家もいる。

1. 乾燥（あるいは半乾燥）した磁土にカンナで彫る。乾燥状態は陶磁器制作工程の中でもっとももろい時なので、素地の扱いや、力の加減に注意が必要である。削りカンナの刃の形状によって彫りの線が変わる。

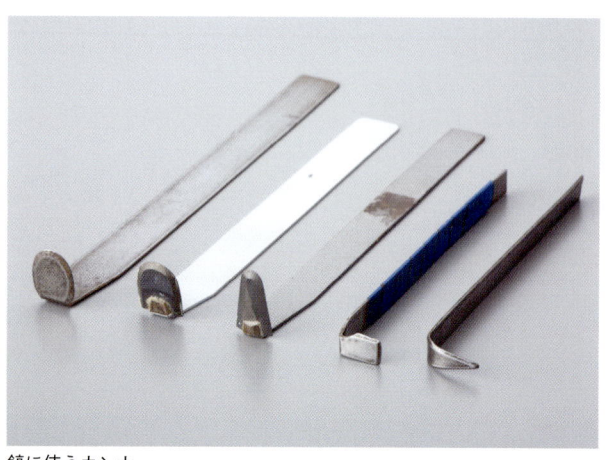

鎬に使うカンナ

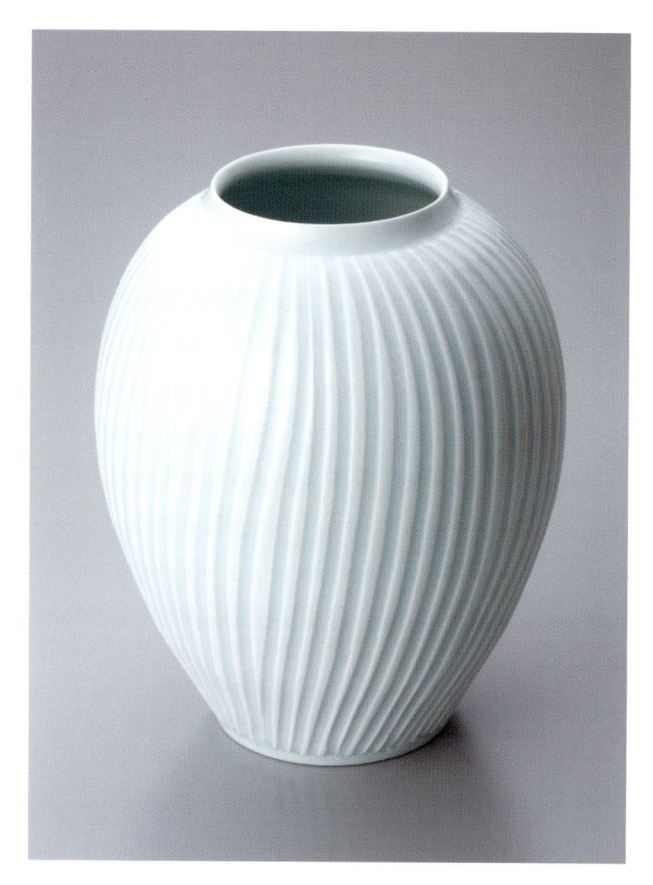

上：高振宇「鎬の花入れ」φ210×270。下はその部分。釉掛けをして本焼き後の作品。

78　装飾技法

4-4
練り込み
磯谷慶子

練り込みは、色の違う粘土を練り合わせて文様を作る。ここでは、色の違う粘土を重ねて巻き込む集合技法、交互に積み重ね横に倒しスライスして模様を作る積層技法、ミルフィオリ技法を紹介する。練り込みで作った粘土板を、石膏型等を使って成形するとおもしろい作品ができる。

● 集合
1. 色の違う粘土を細く長く伸ばして交互に重ねる。
2. 端から巻き込むとロールケーキ状の粘土の塊ができる。
3. それを輪切りにすると渦巻き模様ができる。
4. また2～3種類の色の違う粘土を簡単に練り合わせて輪切りにすると墨流し模様ができる。これは切る場所によって文様が異なり、思わぬおもしろさに出会うことがある。

1.

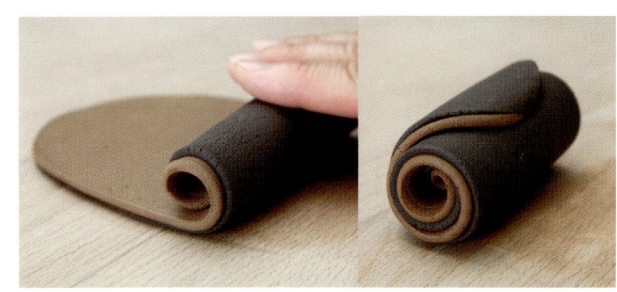

2.

3. 　　4.

● 積層
この技法を応用して縞文様と市松文様を作ることができる。縞文様は、色の違う粘土板をスライスし、交互に重ねる（イラスト1）。しっかり押さえてから横に倒してスライスすると縞文様の粘土板ができる（イラスト2）。縞文様になった粘土板を左右にずらしながら交互に重ね（イラスト3）、横に倒してスライスすると市松文様になる。

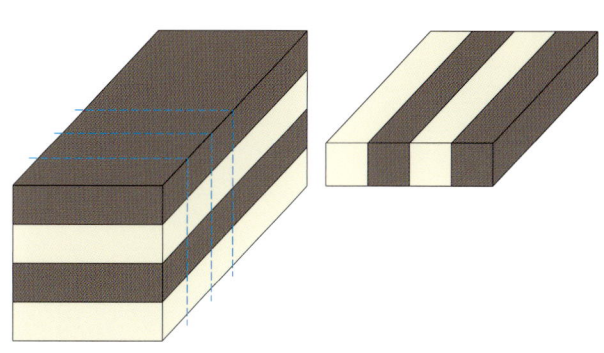

イラスト1　　イラスト2

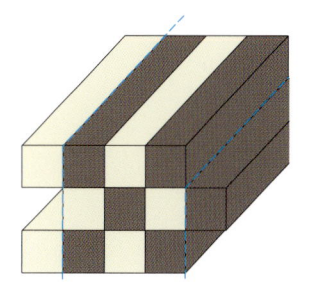

イラスト3

装飾技法　79

● ミルフィオリ・清水真由美の作品

清水真由美 「BOWL」2006　φ125×60

モザイク状に作られた土の棒。これらをスライスして貼り合わせる。

● 積層・長田佳子の作品

スライスした色土を、重ね合わせる順に板に並べ、空気が入らないように手でまんべんなく叩き、粘土板を密着させる。

積み重ねた粘土板を馴染ませるため、発泡スチロールの箱等に入れ、1週間ほど寝かせる。

作りたいものの大きさに合わせ、大まかに切り出す。

長田佳子「tones」2006　半磁土、練り込み。φ55×45

| 作品紹介 | | 磯谷慶子 |

1.
2.
3.
4.
5.
6.
7.
8.
9.
10.
11.
12.

1.「蕎麦猪口　蟹に蕗」2007　φ78×53
2.「陶磁器ボタン」1975-2007
3.「印鑑入れ　魚」2006　52×52×52
4.「レリーフボタン　おじさん」2005　50×30×3
5.「使い切り醤油差し　鳥」2005　φ45×60
6.「陶　ビーズネックレス」2003　一つの玉　φ7
7.「印鑑・朱肉入れ　蛸に烏賊、魚」2005　85×70×53
8.「ガーリックポット」2004　φ180×180
9.「塩入れ　真鍮製さじ」2006　φ75×20
10.「塩入れ」(裏)
11.「蕎麦猪口　樹」2007　φ78×53　「ぐい飲み　蛸に蕨」2006　φ60×50
　　「片口　蛸に夕顔」2006　φ95×60　「使い切り醤油差し　玉蜀黍と蛤」2005　45×45×45
12.「振り出し」2005　φ50×60

4-5
化粧

西川聡

化粧とは、有色粘土（鉄やマンガン等を多く含む土）の素地に、白色の土を化粧のように施す技法で、スリップ、エンゴーベとも呼ばれる。

本来は、素地の汚さを隠すために使われてきた技法なのだが、化粧することによって生まれる独特の柔らかさや温かさを日本人はとりわけ愛でてきた。一方、韓国李朝時代の「粉青」（粉引）や、中国宋代磁州窯の「掻き落とし」等も特徴的な作品であり、陶磁史においてこの技法を用いた魅力的な作品は数限りない。

白い土で表面を覆うことで、絵付けの際の絵の具や、釉薬の発色が美しくなる。また、刷毛の跡が残るように塗る刷毛目や、白い土を引っ掻いて文様を付ける掻き落とし、溝を掘ってその中に白い土を埋める象嵌等、化粧土を用いた装飾方法も多い。鉄分を多く含む粘土類を使った黄土化粧や黒化粧、酸化金属や下絵顔料を白化粧に加えて作る色化粧等もある。

比較的安定した結果を得られ、絵付けや釉薬等と併用することによって、表現の幅を広げることができる技法である。

●白化粧の表現

化粧の表現には、実際どのようなものがあるだろうか？化粧は、半乾きの時に施す方法と、完全に乾燥した時、素焼き後の三つに大別され、それぞれ化粧土の調合、方法が異なる。

ここでは半乾きの時に施す場合を例にサンプルを作った。素地は信楽赤土である。

刷毛目
わらを束ねたものや粗い刷毛を使い、跡が残るように施す。

化粧掛け（粉引）
白化粧にそのまま浸す。または柄杓で掛ける。

指描き
白化粧を施した後、指で文様を描く。

掻き落とし
白化粧を施した後、カンナや竹ベラ等で引っ掻いて文様を描く。

印刻と象嵌
印を押したり、文様を彫った溝に白化粧を埋め込む。（象嵌、p.76参照。）

蚊帳目
蚊帳布等の粗い布を当て白化粧を塗る。布を剥がすと布目文様が付く。

いっちん
白化粧をスポイト等で絞り出して文様を描く。

飛びカンナ
白化粧を施した後、ロクロで回しながらカンナを小刻みに当て、連続した点線文様を付ける。

スポンジ描き
スポンジを用いて、軽く叩くように白化粧を施すという方法もある（p.85参照）。

	①白化粧	②白化粧	③白化粧	④白化粧	⑤黒化粧
朝鮮カオリン	60	30	20		
天草陶石		50	60	50	
水濾白土				50	65
蛙目粘土	30	20			
福島長石	10		20		15
黒浜					25
酸化コバルト					0.5

調合例　SK8〜9（SKはゼーゲルコーンのこと。ゼーゲルコーン8〜9は摂氏1230〜1250℃を示す）　　　単位：%

刷毛目・酸化焼成 　　　　　　　　刷毛目・還元焼成 　　　　　　　　化粧掛け・酸化焼成

指描き・酸化焼成 　　　　　　　　掻き落とし・酸化焼成 　　　　　　印刻と象嵌・酸化焼成

蚊帳目・酸化焼成 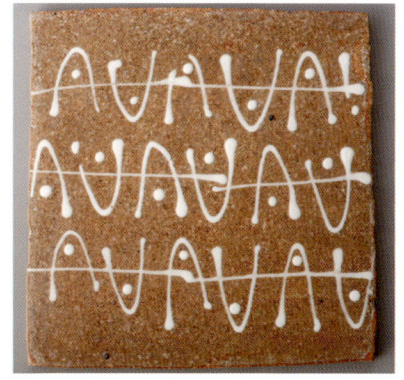　　　　　　　　いっちん・酸化焼成 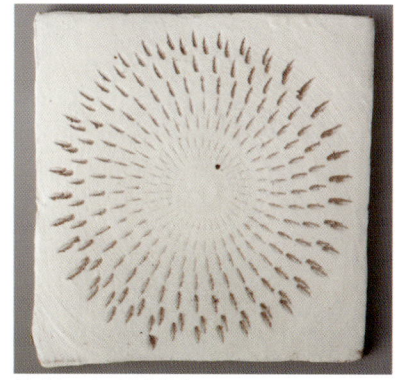　　　　　　　飛びカンナ・酸化焼成

● **白化粧の作り方と施し方**

白化粧を考える時、素地の土の上に、さらに白い土を施せば白化粧と言える。赤い土に白い土を掛けたり、磁土やカオリンを塗れば、それは白化粧になる。

しかし、素地と化粧土の収縮率の違いによって、表面にちぢれや剥離が起きることがある。これらの問題を解決するためには、蛙目粘土や長石を加えるとよい。何度も試験を繰り返して素地との相性がよい調合を見つけることが重要である。

また、欠点とされているちぢれや剥離は、思わぬテクスチャーやおもしろい効果を生むことがあり、それらの表現を積極的に作品に取り入れている作家もいる。

矢尾板克則「陶板」（部分）。化粧の剥離やひびを生かした作品

装飾技法　83

●白化粧の作り方と掛け方

白化粧の作り方は、原料を乾粉の状態でポットミルに入れ、回転機に載せ1〜3時間揺る（釉づくりと施釉 p.105参照）。指先でこすり合わせてざらつきが感じられない程度が適当と思われる。あまり細かく揺りすぎると化粧に粘りが出て素地からめくれたり、ちぢれが起きるので注意する。最近は原料が微粉末になっていることが多く、長時間揺る必要はなくなった。

化粧掛けの際に気を付けることは、化粧土の濃さと掛けるタイミングである。

化粧土の濃さは、水分を加減して調整する他、ふのり液を加えてとろみを出したり、珪酸ソーダを用いて水分を抑えて緩くする方法もある。刷毛塗りや象嵌等に使用する場合は固めに作るほうがよい。

化粧を掛けるタイミングの目安は、素地を手で軽く押しても歪まず、器の口部が白く乾きかけるくらいが適当である。化粧の調合により、完全に乾燥したものや素焼きしたものに施すこともできる。

いずれの場合も表現の方法によって濃度を調整し、何度も焼成テストを行い、自分なりの法則やタイミング、こつを見つけることが大切である。

鈴木豊「粉引石目平皿」2001　φ190×25。凸凹の表面に施された化粧は様々な表情を生む。

大隈美佳「楽園の器」2008　磁土、色化粧。φ180×80。色化粧を使った色彩豊かな作品　©kohichinoda

松塚裕子「うつわ」2004　陶土、ロクロ成形。φ400×135。スポンジ描きで効果的な表現を試みた作品。

装飾技法　85

4-6

転写と印判

西川聡

●転写と印判

転写とは、紙やシートに陶磁器用の絵の具で印刷したものを、器物に写し取り焼成する技法である。印刷方法には、木版、ゴム版、石版、銅版、シルクスクリーン等があり、それぞれ画風に特徴がある。絵付けの方法により、アンダーグレイズ（下絵付け）、オーバーグレイズ（上絵付け）、イングレイズ（釉に溶け込ませる）がある。

下絵付けの銅版転写の場合はまず和紙に銅版画（エッチング）の技法で印刷したものを器面に当て、水を含ませた筆で押さえるようにして絵の具だけを器物に写し取る。また上絵付けのシルクスクリーン転写はウォータースライドデカール（プラモデル等に使う水を使ったシール）によって器面に貼り付けることができる。

印判とは、ゴムや型紙を使って陶磁器の素地の表面に直に絵付けする技法である。また、銅版転写を印判と呼ぶこともある。近年ではシリコン素材を使い立体的に印刷する方法もある。いずれも転写の一つとして考えられている。これらは同じ図柄を大量に生産することを目的として発達し、各窯業地の技術と品質の追求が日本の陶磁器産業を長い間支えてきた。

現代では大量生産の他、作品づくりの中に取り入れ、新しい表現の可能性をさぐる作家もいる。専用の印刷技術と設備が必要であるが、木版や家庭用シルクスクリーン印刷機を使って転写紙を作る比較的簡単な方法もある。

シルクスクリーンによる上絵付け転写。イッタラ、オリゴシリーズのスナックボウルとマグ

銅版転写による下絵付け。「印判染付皿」明治時代。上：φ 146 × 29、下：φ 159 × 33。　武蔵野美術大学美術館・図書館民俗資料室蔵

| 作品紹介 | 西川聡

「赤い器　花入」2008　310 × 200 × 150

「黒銀彩深鉢」2007　φ 210 × 140

「黒銀彩注器」2008

「赤い皿」2004　φ 330 × 70

「赤い皿」2002　φ 300 〜 φ 50

「黒銀彩花入」2008

様々な道具①
成形の道具

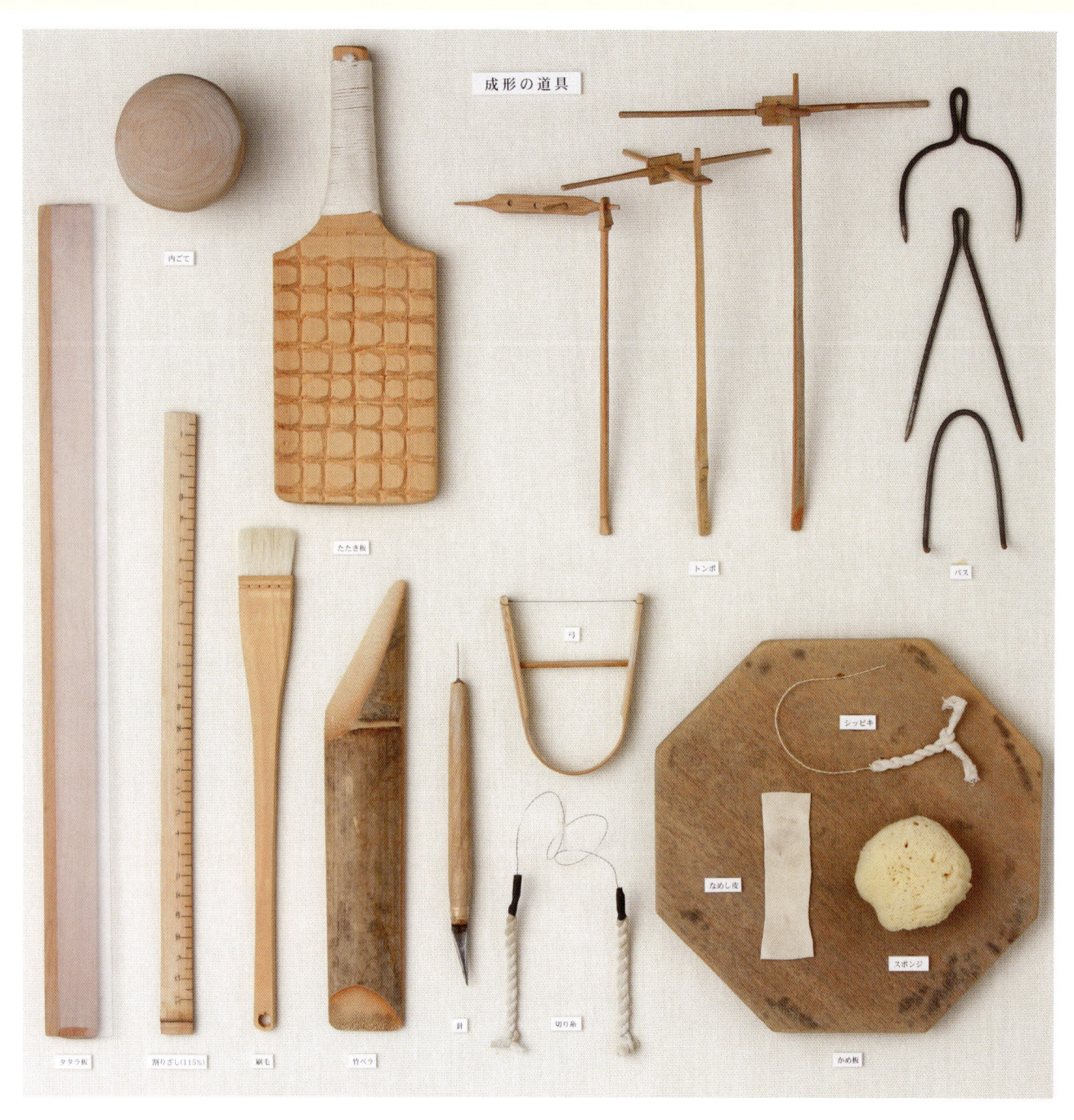

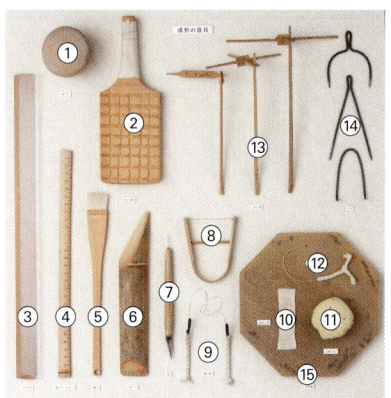

1. 内ゴテ
2. 叩き板
3. タタラ板
4. 割りざし (115%)
5. 刷毛
6. 竹ベラ
7. 針
8. 弓
9. 切り糸
10. なめし皮
11. スポンジ
12. しっぴき
13. トンボ
14. パス
15. 亀板

様々な道具②
削りの道具

削りの道具

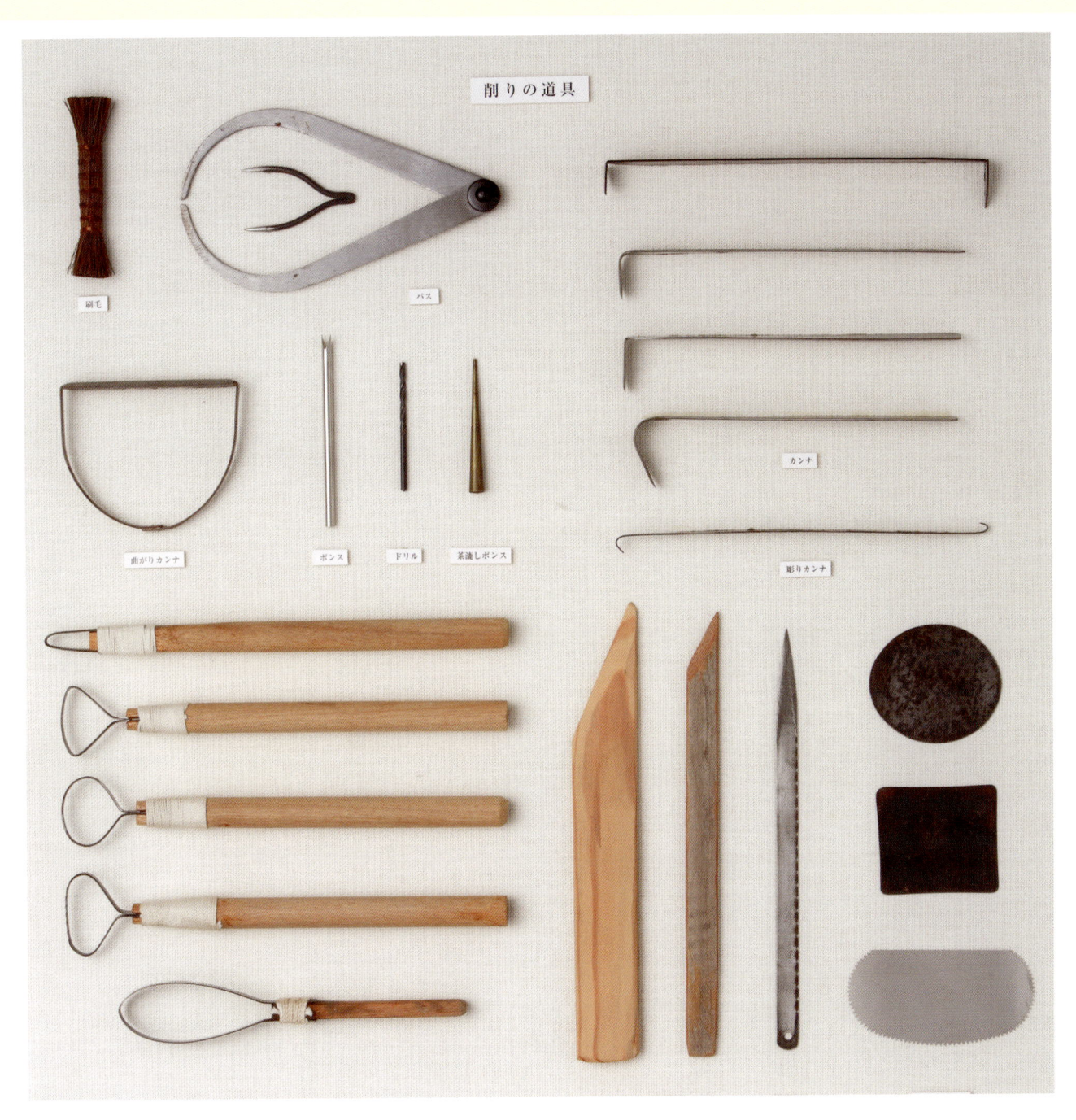

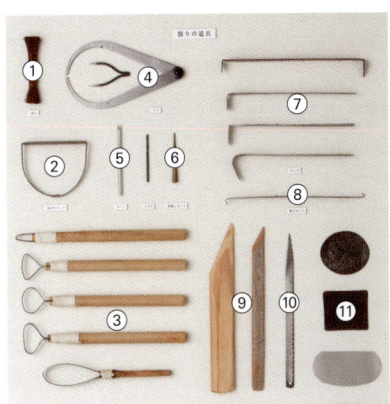

1. 刷毛
2. 曲がりカンナ
3. 輪カンナ
4. パス
5. ポンス
6. 茶漉しポンス
7. カンナ
8. 削りガンナ
9. 竹ベラ
10. 剣先
11. スクレイパー

様々な道具③
コテとヘラ

1. 皿鉢用
2. 筒もの用
3. 湯呑み用
4. 木ゴテ
5. 柄ゴテ
6. 注ぎ口用
7. 皿用
8.〜11. 牛ベラ
12. 細工ベラ
13. 櫛ベラ

様々な道具④
景徳鎮の道具

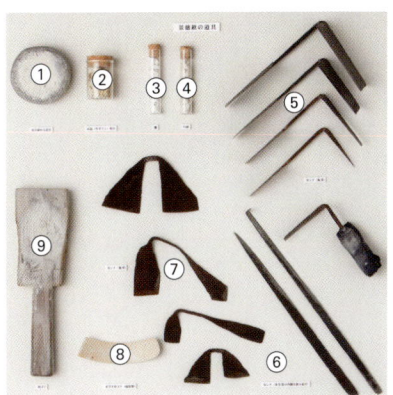

1. 底を締める道具
2. 高嶺（カオリン）
3. 陶石
4. 白磁
5. カンナ
6. カンナ（条刃：器の内側を削る道具）
7. カンナ（板刃）
8. 磁器製のコテ
9. 柄ゴテ

様々な道具⑤
宜興の道具

宜興の道具

朱泥原石　緑泥原石　紫泥原石　ヘラ（水牛の角）

ポンス

規車（円形や帯状の板を切り抜くための道具）

定規　磨く道具（水牛の角）　注口を作る道具　ヘラ　剣先

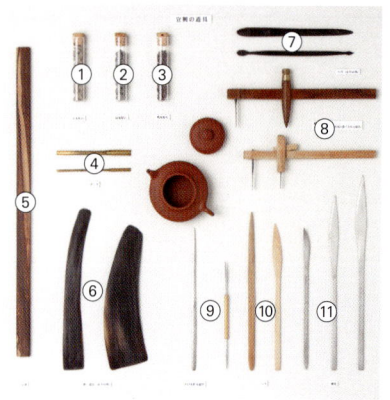

1. 朱泥原石
2. 緑泥原石
3. 紫泥原石
4. ポンス
5. 定規
6. 磨く道具（水牛の角）
7. ヘラ（水牛の角）
8. 規車（円形や帯状の板を切り抜くための道具）
9. 注ぎ口を作る道具
10. ヘラ
11. 剣先

様々な道具⑥
宜興の道具

宜興の道具

口を整える道具　刻印の道具　　　注口を整える道具　　　たたく道具

蓋の穴を整える道具

胴の形を整える道具　　板を作る道具

1. 口を整える道具
2. 刻印の道具
3. ロクロ（轆轤）
4. 叩く道具
5. 注ぎ口を整える道具
6. 蓋の穴を整える道具
7. 胴の形を整える道具
8. 板を作る道具

5章

釉

西川聡

5-1
釉とは

釉とは、陶器や磁器の素地の表面を覆うガラス状のものを指し、「釉薬」または「うわぐすり」とも言う。釉を施すことにより水や油等の液体の吸収浸透を防ぎ、金属製品や木製品に比べて耐酸性に優れ腐食しない。その特性が容器としての役割を広げてきた。また、釉によって生み出される様々な色合いや美しい質感、装飾表現は陶磁器の大きな魅力となっている。

釉の始まりは紀元前のエジプトとされるが、これは800℃前後で融ける低火度釉で、ペルシャのトルコ青釉や中国の唐三彩、イタリアのマジョリカ等もこれにあたる。

窯の発達とともに1000℃を超える焼成が可能になっ

施釉タイル（ファイアンスタイル）、エジプト、紀元前3世紀頃。60 × 37 × 12　INAXライブミュージアム蔵。もっとも古い釉。

「信楽大壺」室町 - 桃山時代。炻器、焼き締め、自然釉　武蔵野美術大学美術館・図書館蔵。燃料の灰が降り掛かり、自然釉となった作品。

「青白磁草文鉢」（部分）宋時代　景徳鎮窯。釉の溜まりが美しい影青釉。

加藤達美「氷裂青瓷彫文花生」1975　陶器。197 × 171。青磁釉は厚く掛けることによって色の深みを増す。

てくると、燃料である薪の灰が窯の中で器物に降り掛かり、その部分が融け合って光沢のある釉が生まれた。これを自然釉と言い、粘土中にある珪酸やアルミナと、灰の成分である石灰、カリ、ソーダ等のアルカリ性物質が反応してガラス状になったものである。

私たち日本人になじみのある織部（おりべ）、黄瀬戸（きぜと）、青磁等は1200℃以上の高温で焼かれた高火度釉である。日本では、古くから自然釉に加えて、原料を調合して作る様々な釉薬が各地域に発展した。この章では、基本的な原料の役割や、釉薬の調合について述べる。

● 釉の分類

釉を特徴別に分類すると下の表のようになる。

1欄の低火度釉は、一般に1100℃以下で融ける釉を指す。鉛等の毒性の強い物質を多く含有することから、近年では無鉛フリットが用いられることが多い。トルコ青釉や楽釉、上絵の具等がこれにあたる。また土鍋、耐熱陶器等の釉にも使用される。

高火度釉は1180℃以上で融ける釉で、私たちが日常使用する食器等はほとんどこの釉を使用する。一般に陶器は1230〜1250℃（SK7〜8）、磁器は1280〜1300℃（SK9〜10）で焼成する。そのため温度に合わせた調合が必要となる。

2欄に示した釉薬は基礎釉と呼ばれ、ほとんどの釉はこの釉を基本にして考えることができる。たとえば4欄の三合釉は石灰釉であり、かつ透明釉である。この釉に、着色剤である酸化コバルトを加えると、濃紺のるり釉になる。

3欄の使用する原料、とくに媒溶材（石灰、木灰等）の種類によって呼び方が変わるのは、溶媒材の性質によって釉の特性が変わるためである。

4欄は、陶磁器の長い歴史の中で生まれた産地、人名、色、形状等を冠した呼び名であるが、中国や朝鮮半島から伝わったもの、制作者が名付けたものなど様々である。釉を理解する時は、表の1〜3の分類によって考えるとよりわかりやすい。その例を影青釉（いんちん）とマジョリカ釉で示す。

影青釉（水色の澄んだ釉）	高火度釉
	透明釉
	石灰釉

マジョリカ釉（白い釉）	低火度釉
	乳濁釉
	錫釉

白須純「Premavera」2008　タイル画。280×280。低火度釉によるタイル。Azulejoと呼ばれるポルトガルタイルの技法によって作られた。

釉の分類表

1	融ける温度による分類	低火度釉、高火度釉
2	釉の質や状態による分類（基礎釉）	透明釉、マット釉、乳濁釉（にゅうだく）、結晶釉
3	使用原料による分類	長石釉、石灰釉、灰釉。タルク釉、バリウム釉、亜鉛釉（あえん）、錫釉（すず）
4	産地や人名、色名等による分類	天目釉（てんもく）、織部釉、白萩釉。黄瀬戸釉、トルコ青釉（せいゆう）、青磁釉、三合釉（さんごう）、一合釉、影青釉（いんちん）、伊羅保釉（いらぼ）、卯の斑釉（うのふ）、るり釉、志野釉（しんしや）、辰砂釉、柿釉、均窯釉（きんよう）、マジョリカ釉、楽釉

釉　97

●釉の原料

釉を調合する時、原料がどのような働きをするのか理解することが大切である。ここでは原料の役割を大きく五つに分けて表にしたものを右ページに示した。

A「基本原料」は、釉の基本原料である。単体でも1180℃から融け始める。長石や陶石がこれにあたる。

B「媒溶原料」は、A「基本原料」を融けやすくするものである。固い水飴に水を加えると軟らかくなる。この水にあたるのがB「媒溶原料」であり、主に木灰や石灰等である。

A「基本原料」＋B「媒溶原料」の調合だけでも釉薬になる。織部や黄瀬戸の基礎釉である灰釉は元来、長石＋木灰のとてもシンプルなものである。しかしこれらの釉で安定した結果を得るには原料の質、釉掛け方法、焼成等の条件をコントロールする必要がある。十分に融けなかったり、ちぢれや剥脱、また、釉が流れることがある。

C「粘土質原料」、D「珪酸質原料」は、それらの問題を調整し安定させるものである。「粘土質原料」は糊のような働きで素地への接着をよくし、釉に粘りを与え流下を抑える。また沈殿を防ぎ釉掛けをしやすくする働きもある。「珪酸質原料」は、主に釉の融ける温度を調整し、釉の流下を抑える役割をする。また収縮を少なくする働きがあるので、貫入（釉に入ったひび）防止にも使われる。

Eは「着色材」である。釉の色は、主に酸化金属で発色する。たとえば酸化コバルトを用いると青くなり、銅を用いた酸化焼成の場合は緑色やトルコブルーに、還元焼成は赤色（辰砂）になる。鉄は添加の量によって異なり、酸化焼成では黄色、飴色、黒色となり、還元焼成では青みを帯びる。使う量は金属の種類にもよるが、基礎釉に対して0.5〜10％ほど加える。またこの他に市販の顔料（下絵顔料）を使うこともできる。

Fも「着色材」である。天然土石であり、鉄やマンガンの他、不純物を多く含む。いちばん鉄分の多いものは黒浜（砂鉄）である。これらは、紅柄（酸化第二鉄）のかわりに添加することもでき、黄土や加茂川石等は同時に釉に粘りを与えるという、Cの役目もする。

G「結晶、乳濁材」は、釉の結晶化や、白く乳濁させる作用がある。また失透することによって釉の光沢が弱まりマット釉になることもある。媒溶材である亜鉛華やマグネサイト、タルク（マグネサイトを多く含む土石）は、乳濁材としても使われる。

釉の流れ

釉のちぢれ

貫入（釉のひび）

基本原材料

			主な成分	特徴と性質
A	基本原料	福島長石	Al_2O_3, SiO_2	カリ長石　もっとも一般的な長石
		釜土長石	Al_2O_3, SiO_2	珪酸分が多い
		平津長石	Al_2O_3, SiO_2	福島長石より融けやすい
		天草陶石	Al_2O_3, SiO_2	磁器の原料　磁器釉に適している
B	媒溶原料	ねずみ石灰	$CaCO_3$	石灰釉の媒溶材
		天然土灰	$CaCO_3$, SiO_2	雑木の灰
		天然イス灰	$CaCO_3$, SiO_2	鉄分が少なく磁器釉に適している
		天然栗皮灰	$CaCO_3$, SiO_2	土灰より石灰分が多く融けやすい
		天然松灰	$CaCO_3$, SiO_2	鉄分が多い
		合成土灰	$CaCO_3$, SiO_2	天然の灰の化学組成を、石灰、マグネサイト、珪石等で合成したもの
		合成イス灰	$CaCO_3$, SiO_2	
		合成栗皮灰	$CaCO_3$, SiO_2	
		炭酸バリウム	$BaCO_3$	融かす作用が大きく、透明度を上げる。影青釉
		マグネサイト	$MgCO_3$	乳濁材としても使う
		ドロマイト	$MgCO_3$, $CaCO_3$	石灰とマグネサイトの化合物
		タルク	$MgCO_3$, SiO_2	マグネサイトと珪酸の化合物、焼成して使用
		亜鉛華	ZnO	酸化亜鉛　乳濁材としても使用
		炭酸リチウム	Li_2CO_3	トルコ青釉に使う
C	粘土質原料	朝鮮カオリン	Al_2O_3, SiO_2	耐火度が高く、鉄分が少ない
		蛙目粘土	Al_2O_3, SiO_2	カオリンの代わりに使用してもよい
		木節粘土	Al_2O_3, SiO_2	可塑性が強い
		ろう石	Al_2O_3, SiO_2, $MgCO_3$	多く入れると乳濁する
D	珪酸質原料	福島珪石	SiO_2	石英　融けにくい性質
		天然わら灰	SiO_2	珪酸分47%
		合成わら灰	SiO_2	珪石、長石、骨灰の化合物
E	着色材1	酸化第二鉄（紅柄）	Fe_2O_3	OFで黄、飴色、黒色になる　RF1〜3%で青磁色になる
		酸化銅	CuO	織部釉　RFでは赤色
		炭酸銅	$CuCO_3$	トルコ青釉　辰砂
		酸化クロム	Cr_2O_3	緑色に発色
		二酸化マンガン	MnO_2	茶〜黒　暗紫色
		珪酸鉄	FeO, SiO_2	青磁釉に使用
		酸化コバルト	CoO	0.1%から青色に発色
		酸化ニッケル	NiO	灰色、黒色
		ルチール	TiO_2	チタンと鉄含む鉱物　黄色
F	着色材2	黄土	Al_2O_3, SiO_2, Fe_2O_3	鉄分を含む土　Fe_2O_3 8%
		加茂川石	Al_2O_3, SiO_2, Fe_2O_3	鉄分の多い石粉　Fe_2O_3 15%
		黒浜	Al_2O_3, SiO_2, Fe_2O_3	砂鉄　Fe_2O_3 82%
		鬼板	Al_2O_3, SiO_2, Fe_2O_3	鉄絵の具としても使用 Fe_2O_3 40%
G	結晶、乳濁材	ジルコン	ZrO_2, SiO_2	珪酸ジルコニウム
		酸化錫	SnO_2	白濁しやすい
		酸化チタン	TiO_2	3〜10%添加
		骨灰	Ca	牛骨を焼いて粉末にしたもの、ボーンチャイナの原料

釉

小坂明「織部タタラ長角皿」2008　タタラ成形。400 × 95 × 30。天然の灰釉に酸化銅を着色材として加えた色釉（織部釉）

藤井憲之「青白磁カップ＆ソーサー」2008　磁器。φ80 × 60（カップ）。微量の鉄分は還元焼成（RF）によって美しい水色に変化する。

北欧のミニアチュール。下絵や色釉の組み合わせで表現の幅は広がる

5-2
釉を調合する

釉を自分で作るなら、釉薬の参考書や、陶芸の技法書等に載っている様々な調合例を実際に何度もテストしてみることが必要である。テストを繰り返し、施釉や窯焚きを体験することは釉の性質を理解することに繋がる。

しかしいくら本の調合例どおりに作っても、そのとおりになるとは限らない、むしろ違う結果になるほうが多いかもしれない。それは素地の種類、原料の質（とくに天然灰等）、窯の種類、焚き方、温度等、条件が異なれば、結果も大きく変わるからである。白いマット釉のつもりが、透明で光沢のある釉になり、黒い釉のつもりが茶色になったりする。一方で、失敗が思わぬ美しい釉を生み出すこともある。このような時、釉薬の基本的な成り立ちを理解していれば、結果を自分の作りたい釉の方向へ近づけることができる。

ゼーゲル式等の科学的な分析による成分量から計算して作る方法や、伝統的な天然の原料にこだわって作る等、方法は人によって様々である。いずれも、作品制作の一環として釉を捉え、自分の表現のための釉を見つけることが大切である。まず、釉を調合する際の基本的な調合例と考え方を説明する。

基本的な調合例
①長石 65、土灰 35
②長石 45、石灰 20、カオリン 20、珪石 15
③るり釉→長石 70、土灰 30、酸化コバルト 0.5
④失透釉→長石 45、石灰 20、カオリン 20、珪石 15、マグネサイト 10〜20

①は、もっとも単純な灰釉の調合例で、長石に媒溶材である土灰（木灰）を加え、長石を融かしやすくしている。これで十分に釉になるが、やや不安定で貫入が多く入る。

②は、一般的な石灰釉の調合例で、長石に媒溶材である石灰を加えて融かす。カオリンを入れると釉に粘りが出て融けすぎを抑え、素地への接着をよくし、施釉しやすくなる。珪石は、釉が融ける温度の調整役であり、貫入防止にもなる。①と②は、灰釉と石灰釉の基礎釉である。

③は、①に着色剤である酸化コバルトを加えたるり釉である。るり釉や、織部釉、天目釉等の色釉は、①や②の基礎釉に、着色材である酸化金属を加えれば得られる。

④は、②にマグネサイトを加えた失透釉（マット釉）である。マグネサイトは媒溶材であるが、多く加えると失透したり結晶したりする。この釉に着色材を加えるとマットな色釉になる。

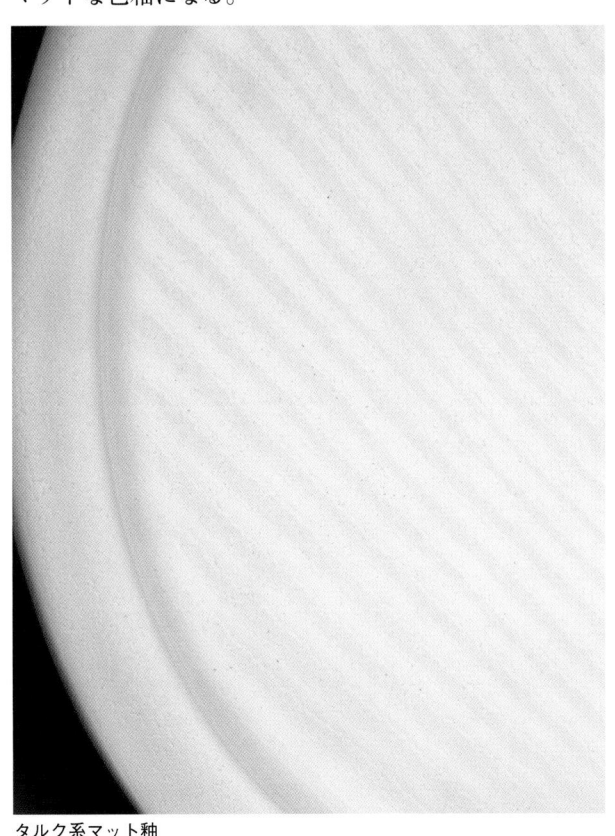

タルク系マット釉

このように、基本の釉（基礎釉）に、着色材や、乳濁材、結晶材を加えることによって釉の性質や色が変わり、様々な釉の展開が可能になる。基礎釉は、市販のものを使うと安定した結果が得られる。一合釉、三合釉、土灰釉はよく使われる基礎釉である。

一般的な基礎釉表

一合釉	透明石灰釉（SK9~10）
三合釉	透明石灰釉（SK7~8）
土灰釉	灰系透明釉（SK7~8）

他にタルク釉、ジルコン釉、亜鉛釉等がある。

基礎釉は、使われている媒溶材によって性質が大きく変わり、着色材の発色等に変化がある。たとえば、石灰等カルシウムの多い媒溶材の基礎釉に鉄を1〜2％加えると、落ち着いた緑色の青磁釉になり、炭酸バリウムを媒溶材に用いた基礎釉の場合は冴えた水色に発色する。

釉の調合表

	①	②	③	④	⑤	⑥	⑦	⑧	⑨	⑩	⑪
長石	45	42	34	65	25	90	60	25	35	25	30
陶石		13		35				40			20
石灰	20	18	15	13	10			5	20	15	10
合成土灰 (ごうせいどばい)						10	30				
合成柞灰 (ごうせいいすばい)				10							
合成栗皮灰 (ごうせいくりかわばい)				20				20			
カオリン	20		12		15				24	20	10
蛙目粘土						5	5	3			
タルク										20	
炭酸バリウム											20
マグネサイト				1	15						
珪石	15	27	32	21	25			15	11	20	15
わら灰						10					
骨灰 (こっぱい)				5							
亜鉛華				5							
珪酸鉄								0.5〜2			0.5〜2

①②③⑨は石灰透明釉（SK7~10）／④はやや乳濁する透明釉（SK8~9）／⑤⑩は乳濁、マット釉（SK8）
⑥は長石釉（SK8~9）／⑦は土灰釉（SK7〜8）／⑧⑪は、青白磁釉（影青）（SK10）

（単位：g）

卯の斑釉

長石	30
合成土灰	30
合成わら灰	30
亜鉛華	5

黒釉

長石	50
合成土灰	21
カオリン	25
珪石	7
紅柄	6
二酸化マンガン	3
酸化クロム	2
酸化コバルト	1

天目釉

長石	50
石灰	12
マグネサイト	2
カオリン	5
珪石	23
紅柄	8

織部釉 A

長石	60
土灰	40
蛙目粘土	5
酸化銅	4〜6

織部釉 B

長石	40
石灰	15
合成土灰	15
珪石	20
カオリン	10
酸化銅	3

飴釉

長石	75
合成土灰	25
紅柄	4

黄マット

長石	30
蛙目粘土	32
石灰	20
タルク	8

伊羅保釉

土灰	90
カオリン	10
紅柄	2

黄瀬戸

長石	50
土灰	50
黄土	20

色釉

基礎釉		
長石	30	
石灰	23	石灰釉
蝋石	30	(一合釉、三合釉)
珪石	17	

着色材	
上の基礎釉（透明）100gに対して	
青色………酸化コバルト	0.5%
紫色………二酸化マンガン	3〜4%
クリーム色…酸化チタン	10%
緑色………酸化クロム	1〜5%
この他に下絵顔料を5〜10%加える。	

楽釉　890℃

基礎釉	
唐土（鉛白）	80
無鉛フリット	20
珪石	20

着色材	
上の基礎釉（透明）100gに対して	
白色………錫	5%
黄色………重クロム酸カリ	0.5%
緑色………酸化銅	7%
るり色……酸化コバルト	0.5〜2%
黄緑色……酸化銅	3.5%
……重クロム酸カリ	0.5%

	信楽白土		信楽赤土		有田磁土	
透明（三合釉）	OF（酸化焼成）	RF（還元焼成）	OF（酸化焼成）	RF（還元焼成）	OF（酸化焼成）	RF（還元焼成）
マット（白マット釉）	OF（酸化焼成）	RF（還元焼成）	OF（酸化焼成）	RF（還元焼成）	OF（酸化焼成）	RF（還元焼成）
乳濁（卯の斑釉）	OF（酸化焼成）	RF（還元焼成）	OF（酸化焼成）	RF（還元焼成）	OF（酸化焼成）	RF（還元焼成）
色釉（青磁釉）	OF（酸化焼成）	RF（還元焼成）	OF（酸化焼成）	RF（還元焼成）	OF（酸化焼成）	RF（還元焼成）

釉　103

●釉のテスト

釉を調合し、自分の目的の釉調が得られるまで何度もテストを繰り返す。テストは、少量の原料（50g程度）と水を乳鉢で擂りつぶす。指先で擦り合わせてみて、ザラザラした感じがなくなればよい。水を少しずつ加えて、濃度を調整し、素焼きの破片やぐい呑み等に施釉する。

目的に近い釉調が得られるまで、釉を掛ける厚さを変えてみたり、窯の温度の高いところ、低いところに置いてみたり、下絵を描いてみたりと目的に合った効率的な方法を工夫する。

●釉の調整

釉を調合してテストした時、問題が起きたり、意図した釉調にならないのはよくあることである。こうした時は、その原因を考え、調合を調整することが必要である。

釉が流れた場合

たとえば、p.101 ②の釉（石灰釉）を焼成した時、釉が流れたとする。これは釉が弱いと考えられる。釉を強くするために次の方法を試みる。

・焼成温度を下げる。
・カオリンや珪石を増やす（珪石を多くすると乳濁しやすくなる）。
・長石を加える、他の長石にする、陶石に変える。

釉の融け不足

この場合は釉が強すぎるためである。弱くするために、次の方法を試みる。

・焼成温度を上げる。
・石灰を増やす。
・他の媒溶材を加える（炭酸バリウム、亜鉛華、マグネサイト等）。

これらの手法は釉を理解するための一つの目安である。美しい釉を得ても、それを施す造形や、その使用の目的に適さない場合もある。やきものは、素地、釉、焼成によって生まれるものである。これらの性質や条件を常に一定にコントロールすることは大変難しく、長い経験や、高度な分析が必要なこともある。

すべてがマニュアルどおりに解決されるわけではない。大切なことは、これらの情報を参考に、多くの試行錯誤を繰り返し、経験を重ね、自分のものとして作品に生かしていくことである。

結晶化した色釉

ウォーター・キラーのポット（部分）。塩釉は釉のちぢれやむらを生み出す。塩釉とは、焼成時に塩を投入し、釉を融かしたものを言う。

5-3
釉づくりと施釉

●釉づくり

原料の分量を計算し、計量してボールミルで擂る。ボールミルの容量が10リットルの場合、原料は合計で7〜8kgにし、ミルポットにボールミルを3分の1、水を3分の1入れ、7〜8kgの原料と合わせて3〜6時間擂る。擂る時間は釉によって異なる。釉によっては、擂りすぎると施釉後に「ひび」や「めくれ」を起こし、釉切れの原因になることもあるので注意する。

また、着色材を含む釉は混ざりにくいので、先に着色材と珪石等を擂り、後で他の原料を入れると短い時間ですみ、擂りすぎを防ぐことができる。最近では市販の原料が微粉末である場合が多く、長く擂る必要はなくなった。釉によっては、水の中に原料を入れ、一日ほどおいた後、手で撹拌すれば十分に使えるものもある。

擂り終わった釉は、ふるいに通して不純物やゴミを取り除く。陶土用のふるいの場合は60〜80メッシュ、磁土用なら100〜120メッシュを使用する。

●施釉

施釉は、粉末原料と水を合わせて泥状にしたものを、素焼きした素地に施すのが一般的である。これは、釉の水分によって素地が壊れることを防ぎ、釉掛けをしやすくするためである。乾燥素地に釉掛けする「生掛け」という方法もある。

施釉の準備として次の3点に注意する

1. 釉の撹拌。沈殿物と水とを偏りがないようによくかき混ぜ、ふるいに通しゴミを取り除く。
2. 濃度の調整。釉はその種類によって、掛けた釉の厚さで表情が大きく変わる。そのため適切な厚みになるように釉の濃度には十分注意する。通常、厚く掛けるには釉を濃くし、薄く掛けるには釉を薄める。素焼きの破片等に実際に掛けて確認する。
3. 沈殿を防ぐ。釉は原料の比重の違いによって沈殿が起こりやすく、下に溜まった原料をよくかき混ぜないと全体の調合バランスが変わってしまう。とくに長石等石類の多い釉は、撹拌してもすぐに沈殿してしまう。そのような場合は市販されている沈殿防止剤（にがりや苛性ソーダ）、ふのり液、酢等を加えると沈殿しにくくなる。

左から、粉末原料、ミルポット、60メッシュのふるい、ボールミル

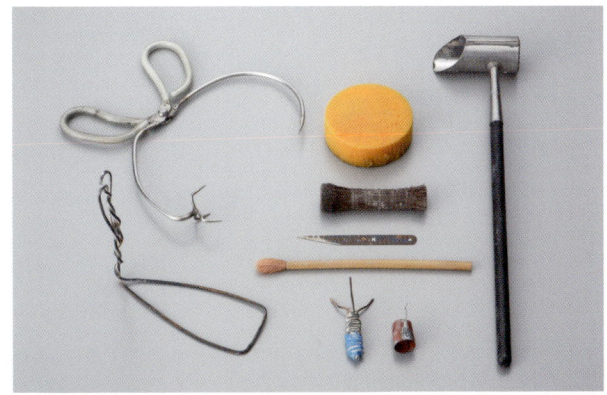

上段左から、釉鋏、スポンジ、柄杓。中央に釉はがしの刷毛、剣先、筆。下段左から皿用施釉道具2点と釉掛けツメ

浸し掛け

もっとも一般的な施釉の方法で、ずぶ掛けとも言う。全体に均一に釉を掛けることができる。釉の量が十分であれば、両手で持ち扱えるサイズのものまで釉掛けできる。

1. 水を含ませたスポンジで器全体のほこりを取る。濃度を一定に保つため、掛ける直前にもう一度よくかき混ぜる。
2. 高台と口の部分を手に持って、釉泥の中に静かに入れる。
3. 3秒ほど浸し、静かに引き上げ、底に釉が溜まらないように釉をよく切る。この時、浸す時間が長ければ、それだけ釉が厚くなる。作品の表面から水気がひいたら底を下にして板に置く。
4. 持ち手の指の跡等、釉が乗っていない部分に、筆等で釉を乗せて乾かす。
5. 焼成時に棚板に接する底部（高台）の釉をきれいに拭き取る。水を付けたスポンジで、高台際から1〜2mm程度釉を取る。流れやすい釉の場合は、それよりさらに多く取る。釉が残っていると、焼成によってガラス化し、棚板にくっついてしまうので、これを防ぐために行う。
6. 垂れたしずくは、釉のむらや釉切れの原因になるため、ナイフで削り取ったり、指の腹で軽くこすって修正する。釉の種類や釉掛けの方法によっては、厚さの違いや釉のむらを生かすこともある。釉はもろく剥がれやすいので、一度施釉したものは必要以上に手で触ったり、動かしたりしないよう注意する。

1.

2.

3.

4.

5.

6.

柄杓を使った浸し掛け
1. 高台を持ち、作品の内側に釉を入れる。
2. 回しながら、釉を一度外へ出す。
3. すぐにそのまま高台際まで浸し、口部の釉を切って、上を向けて置く。

流し掛け
作品が大きい時や釉の量が少ない時は、柄杓を使って流し掛けをする。片手で支えられないものは、卓上ロクロを使って回しながら掛けるとよい。釉の重なる部分は厚くなり、その差によって表情が生まれることもある。

初めに内側を施釉し、手で器を回しながら外側を施釉する。

刷毛塗り
釉を刷毛や筆で塗る。釉の伸びをよくするため、ふのりやCMCを混ぜて使う。部分的に釉を変えて装飾を施す手法もある。釉を厚くする時は、乾かしながら数回に分けて重ね塗りをする。釉によっては、むらの目立つものや、剥脱しやすいものもあるので注意する。

吹き掛け
専用の吹き掛け道具や、コンプレッサー式のスプレーガンを使って施釉する。大きな作品や、釉を厚くむらなく掛けたい時、きわめて薄く掛けたい時、釉の量が少ない時に有効である。

一見簡単そうであるが、均一に施釉するには技術が必要だ。厚くしたい時は、一度浸し掛けをしてから、作品を回転させスプレーガンを少し離しながら、数回に分けて吹き付けるとよい。ふのりやCMCを釉に加えると剥離しにくくなる。また、異なる釉を重ね掛けすることで、ぼかしやグラデーション等の装飾効果が得られる。

掛け分けと重ね掛け
掛け分けとは、2種類以上の釉による表現方法で、織部焼等がその代表である。皿の半分にまず透明釉を掛け、残り半分に青緑釉を掛ける。少し重なった部分の釉の色が薄くなったり、思わぬ美しい色になることがある。

重ね掛けは、初めに釉を全体に施し、その上から異なる釉を掛ける。すると、釉が重なったところは混ざり合い、融け合い、もとの二つの釉とは違った、おもしろい効果が得られることがある。柄杓や、わらの刷毛で釉を勢いよく振り掛けたり、スポイトやいっちんといった道具を使用したり、スプレーガンで吹き付けたりもする。

いずれも、思わぬ釉調や色が生まれ、装飾表現を生み出す。しかし、釉の相性が合わなかったり、重ねすぎて

1.

2.

3.

皿の施釉

流し掛け

吹き掛け

めくれや剥離が起きることがよくある。何度か試験してみることが必要である。釉の接着をよくするために、ふのりやCMCを入れるとよい。

ロウ抜き

ロウを加熱し融かしたものを、筆や刷毛を用いて素地に描き、その上から釉を施す方法である。ロウでマスキングされている部分は釉をはじき、無釉に焼き上がる。また一度釉を掛けてからロウ抜きし、別の釉を重ね掛けすることもできる。ロウはパラフィン、蜜ロウの他、常温で使用できるものもある。

倉前幸徳「青釉二色湯呑み」2008　φ75×85

竹田精一郎「天目茶碗」2007　φ125×75。釉の重ね掛けにより複雑に窯変した天目釉。

倉前幸徳「黒白（Black White）シリーズ」2008　醤油差し（95×80×90）、ビールタンブラー（φ83×120）、マグカップ（120×87×90）。釉の上にロウで文様を描き別の釉を重ね掛けする。

ロウ抜きと釉彩（釉による絵付け）による表現。ロイヤルコペンハーゲン「BACAトレイ」（ニルス・トーソン）170×170×35。

釉　109

●主な釉の特徴と発色

織部　酸化銅を着色材として用いた緑釉（酸化焼成）。
黄瀬戸　酸化鉄を着色材として用いた黄色の釉薬（酸化焼成）。
トルコ青釉　炭酸銅を着色材として用いた青みがかった緑釉（酸化焼成）。
影青釉　石灰を主な着色材として用いた澄んだ水色の発色を持つ釉（還元焼成）。
青磁釉　自然釉に端を発したもので、酸化第二鉄を着色材として用いた青緑色の釉（還元焼成）。黄緑色や黄褐色に発色した場合も広く青磁と呼ばれる（酸化焼成）。
天目釉　酸化鉄を主な着色材とする黒色釉（酸化焼成、還元焼成）。
白萩釉　白色の乳濁釉。原料にわら灰を用い乳濁させる。
伊羅保釉　釉がいらいらとした肌合いになる釉薬。
卯の斑釉　白色で不透明な釉薬。
るり釉　るり色の発色をする釉薬。
志野釉　長石質の失透白濁釉。
辰砂釉　還元炎焼成で赤く発色する銅の釉薬（還元焼成）。
均窯釉　中国北宋時代の窯で焼かれたものに類する釉薬の総称。代表的なものは青い釉が厚く掛かり、銅の発色による紅や紫の発色もある（還元焼成）。
柿釉　柿渋色になる酸化鉄を着色材に用いた釉薬（還元焼成）。
マジョリカ釉　一般に鉛と錫を多く含んだ白濁釉。施釉後、釉上絵付けする。
楽釉
低火度釉。色は、透明、飴、黒等、着色材により様々に変化する。

合志真由子「sire」2008　120×100×90。蓋に様々な釉の表現を試みた急須とポット。

●天然灰と粘土類

天然の灰を使用する場合、灰汁抜きが必要である。昔は窯を焚く際に雑木や松等を燃料にしていたため、この灰を水に入れ、不純物を取り除いた後、上澄みだけを取り替えながら何日もかけて灰汁抜きをした。灰汁はアルカリ塩類で、長石や珪石を融かす作用があるが、釉の発色が悪くなることがあり、また「ちぢれ」や「ぶく」の原因になることもある。そのため、上澄みの液がぬるぬるしなくなるまで、週に2〜3回水を替えて灰汁を抜く。

釉の調合で、カオリンや蛙目粘土といった粘土類や陶石を多く含むものはちぢれやすいという欠点がある。一度素焼き（仮焼）すると粘り気がなくなり問題が解決できる。しかし本来粘土類は施釉時の素地への接着をよくするために使われるので、60〜70%仮焼したものを使うという方法もある。

窯焚後の灰

灰汁抜きをした木灰

蛙目粘土は800℃で仮焼する。仮焼後の蛙目粘土。

6章
窯と焼成
磯谷慶子

6-1
窯

窯という文字は、土に穴を掘って羊を入れ、下から火であぶるという象形文字である。、、、、は「列火（れっか）」と言い、薪を意味する。窯の原形を表す文字と言える。

なぜ焼成には窯（穴）が必要なのか？ 粘土で制作した作品に高熱のバーナーで炎を吹き付けてもやきものにはならない。窯の中に囲い込むことによって焼成に必要十分な熱量が得られるのである。器物を焼成するということは、温度を単純に上げることではなく、燃料を燃焼させて焼成温度を保つことが重要なポイントと言える。やきものは窯の放射熱によって焼成される。

時代とともに窯の構造や熱源は、穴窯→登り窯→石炭窯→オイル窯→電気窯→ガス窯と変化してきた。それをおおまかに区切ると次のようになる。

古墳時代	朝鮮から渡来した穴窯で須恵器を焼く。
平安〜鎌倉時代	穴窯で灰釉陶器を焼く。
室町時代	単室半地上登窯で古瀬戸釉や天目釉、黄釉陶器を焼く。
桃山時代後期	横サマ連房式登窯。
明治時代	構造が平地窯に。燃料が薪から石炭に。
大正時代	倒炎式石炭窯
昭和30年頃	トンネル窯、単独窯。燃料が石炭から重油に。
現代	燃料が液化ガスや電気に。

単室半地上登窯とは、傾斜地に穴を掘って壁とし、天井は木やわらで形を作り、そこに粘土を叩き付けて、乾いたところで窯を焚いて天井を焼き固めた窯を言う。

横サマ連房式登窯は、登り窯内部の炎が通るための穴が横に並んでいる窯を指し、類似の窯に、斜めサマ連房式登窯や縦サマ連房式登窯等、穴の種類の異なる窯がある。

平地窯は、平地に築かれている窯の総称。電気窯、ガス窯もこれに属する。倒炎式石炭窯とは、燃料を石炭とした倒炎式の窯のことであり、単独窯とは、連房式に対して、燃料等にかかわらず、単室の窯を総称して呼ぶ。

倒炎式窯の構造
焚き口から入った炎が壁に沿って天井に登り、器物を焼きながら下降し、窯床の吸入穴に吸い込まれ煙道を通り煙突から排気される形式の窯。窯内の温度が比較的均一で熱効率がよいので広く用いられる。

昇炎式窯の構造
焚き口から入った炎が、窯床から窯内の器物の間を通って、焼きながら登り、天井に開けられた穴や煙突から排気される構造の窯。

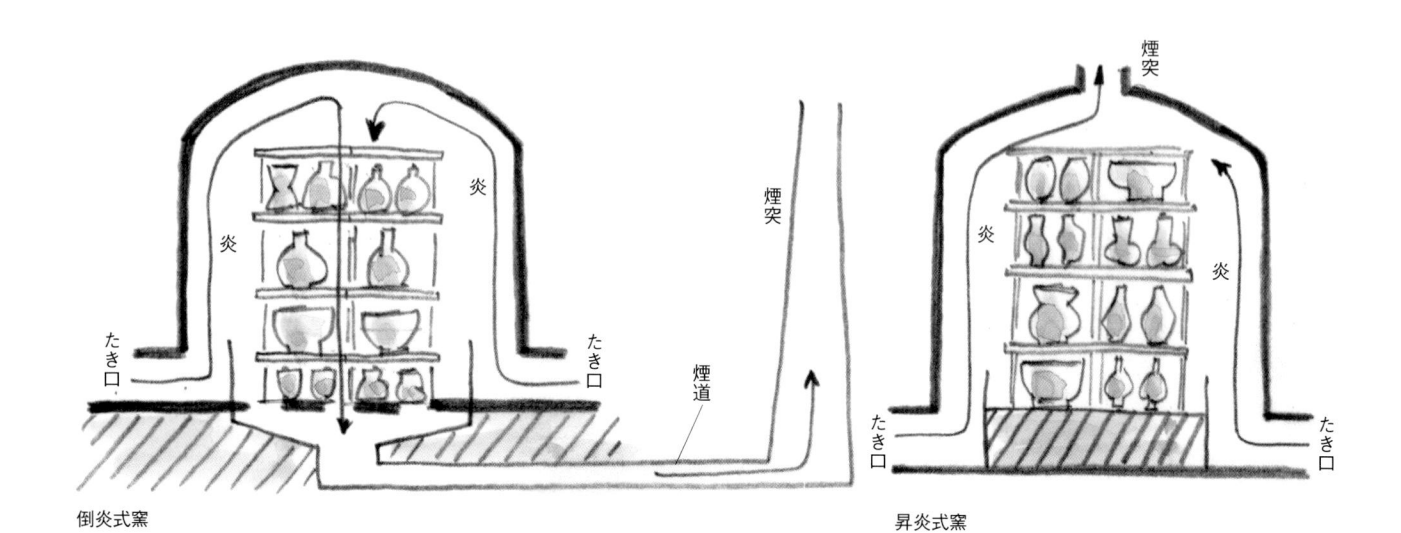

倒炎式窯

昇炎式窯

●主な窯の種類

野焼き
平らな地面を掘り窪ませたところに、よく乾燥させた土器を並べ、身近にある枯れ草等で土器を覆い、焼き締める。窯がなかった頃の原初的な焼き方である。温度は約700〜800℃。現在でも東南アジア、インド、アフリカ、メキシコ、中南米では野焼きが行われる。土器の周りを粘土や石で囲い工夫したものもある。

穴窯
一般的に、斜面を掘り、天井だけを構築した構造で、大体は単室で天井の一方に差木孔（松材を3cm程度の太さに割ったもの）がある。

登り窯
山の傾斜を利用し、傾斜の下から上に向かって長方形の倒炎式窯室を順に並べた窯である。燃料は火力の強い松の薪が一般的である。

重油（灯油）窯
重油（灯油）は運搬、貯蔵、燃焼が容易で火力が強く燃料としては大変優れている。しかし燃焼音が大きく、有害な亜硫酸ガスが煙に含まれているので都市で使用することは好ましくない。

ガス窯
都市ガス用とプロパンガス用がある。中央部に作品を詰め、両側のバーナーから炎を吹き付ける。ガスは火力が強く、燃焼も容易で灰や煤煙の心配もない。燃焼効率もよく、人手もいらないが、大きさの割には高価であることが欠点と言える。

電気窯
電熱線を使った窯で煙やガスが発生しないことが利点である。また温度調節が容易でとくに操作しなくても完全な酸化焼成になる。上絵付け窯には最適である。

トンネル窯
中にレールを敷いたトンネル状の窯で、品物を乗せた車が窯の中を連なって通過する。その距離は100m近くなる。温度は中央部で最高度になり、徐々に冷やされ焼き上がって出てくる。すべてオートメーション化され休むことがない。大きな工場で使われているもっとも進歩した窯の一つで、瀬戸や有田等の大きな陶業地で見られる。

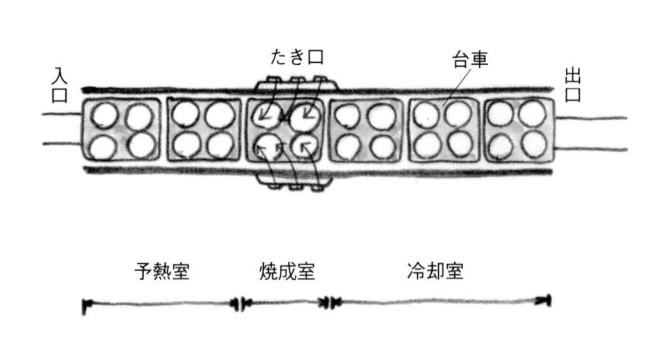

6-2
焼成

窯焚きの方法は様々な条件に左右される。釉や土の違いはもちろんだが、ガス、電気、薪、重油といった燃料、さらに製造メーカーや機種によっても異なる。ここでは武蔵野美術大学陶磁工房の平均的な窯焚きの方法を参考に、素焼、本焼・酸化焼成、本焼・還元焼成の三つのグラフを制作した（右ページ）。

●素焼
素焼をすることによって素地に強度と吸水性が生まれ、釉掛け、絵付けがしやすくなる。吸水性があると窯詰め等の取扱いも楽になる。

0℃から200℃までをとくに「焙り」と言うが、これはゆっくり窯の中の温度を上げていく最初の状態である。この段階はどんなに時間をかけて乾燥しても粘土の中にわずかながら水分が残る。温度は様々な条件によって高低幅が生まれるので注意すること。

●本焼
素焼の後、表面に釉薬を掛けたり、絵付けをして本焼に入る。本焼は表面の釉薬を焼き融かし、ガラスの膜で覆い、素地を焼き締めて丈夫にする。その過程を大きく分けると焙り（初期）、攻め（中期）、練らし（終期）の3段階になる。

焙り（900℃程度まで）
焙りの段階では様々な化学変化で発生したガスを完全に燃焼させて取り除くために、急いで温度を上げないことが重要である。

攻め（900〜1250℃）
煤が燃えつき、窯の中が赤味を帯び明るく光り始めるとほぼ900℃に達している。ガス化した有機物等の物質はほとんど分解し、塩基と結び付いた珪酸分がガラス化し始める。釉薬が融け始める段階である。素地の内部では、珪酸と塩基が結び付いてできたガラスが粘土の粒をどんどん融かしながら、素地を固く丈夫な質に変える。

釉薬の内部でもガラス化はますます激しくなり、釉薬に含まれている金属は酸素としっかり結び付き、あるいは吐き出し、素地の表面を融けたガラスで覆う。この時、空気を十分に送り込んで完全燃焼で焼き上げることを酸化焼成と言い、また、空気の量を少なくして不完全燃焼で焼き上げることを還元焼成と言う。

練らし（1250〜1300℃）
素地や釉薬に起こった変化をさらに完全なものに仕上げ、窯の中の作品を一様に焼き上げる段階である。目的の温度に達したら、温度を30分から1時間持続させる。窯の中は白くまぶしく光り始め、釉薬は融けて光沢を持つ。

窯出し
200℃以下になるまで蓋を開けないで自然に冷まし、その後、窯出しする。

●焼成による粘土の収縮
粘土は乾燥する時と焼成の時に収縮する。乾燥による収縮は約5％で、素焼ではほとんど寸法が変わらないが、本焼すると乾燥時からさらに10％ほど収縮する。焼成による収縮は粘土に含まれている珪酸分がガラス化するためで、このガラス化によって水が漏らなくなる。

成形から完成まで約15％収縮することが、他の素材と違った陶磁器の特徴であることを意識して制作することが重要である。

●焼成のいろいろ

酸化焼成
窯の中に十分空気を送り込み、煙の出ない状態（完全燃焼）で焼く方法。素地や釉薬を構成している物質と酸素が結合し発色する。鉄を使って黄色、飴色、褐色、黒色に発色させたい時、銅を使って緑色に発色させたい時に酸化焼成する。

還元焼成
釉薬が融け始める頃（900〜950℃）から空気の送り込みを少なくし、不完全燃焼させて焼く方法。空気中に酸素が不足しているので、素地や釉薬に含まれる金属から酸素が奪われ、色の変化が現れる。磁器は還元焼成すると青味がかった透明な白になり、酸化焼成すると薄いクリーム色になる。銅の釉を使って還元焼成すると赤く発色する。

燻し
作品の表面を黒くする技法。素焼した作品を鞘に入れ、その周りにおがくずやもみを詰め、蓋をして燻し焼きに

素焼（電気窯）

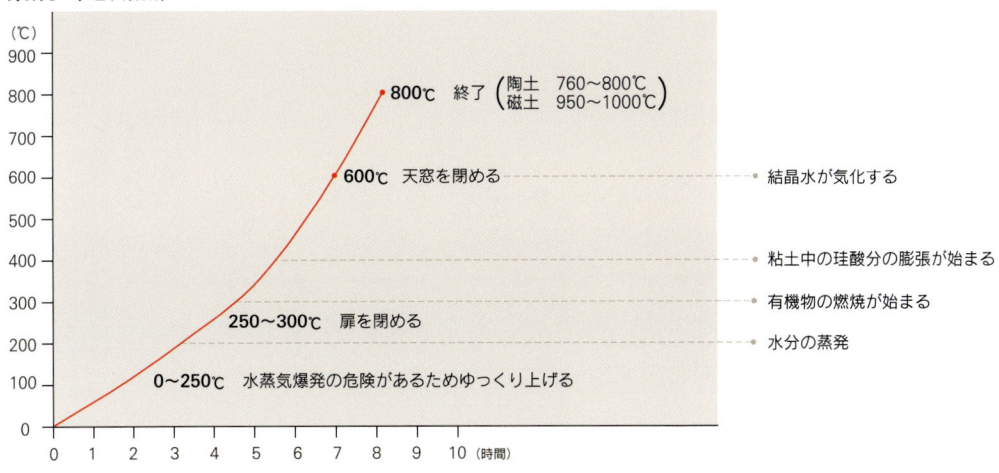

- 800℃ 終了（陶土 760～800℃ / 磁土 950～1000℃）
- 600℃ 天窓を閉める ……… 結晶水が気化する
- 400℃ ……… 粘土中の珪酸分の膨張が始まる
- 300℃ ……… 有機物の燃焼が始まる
- 250～300℃ 扉を閉める ……… 水分の蒸発
- 0～250℃ 水蒸気爆発の危険があるためゆっくり上げる

本焼　OF（酸化焼成）

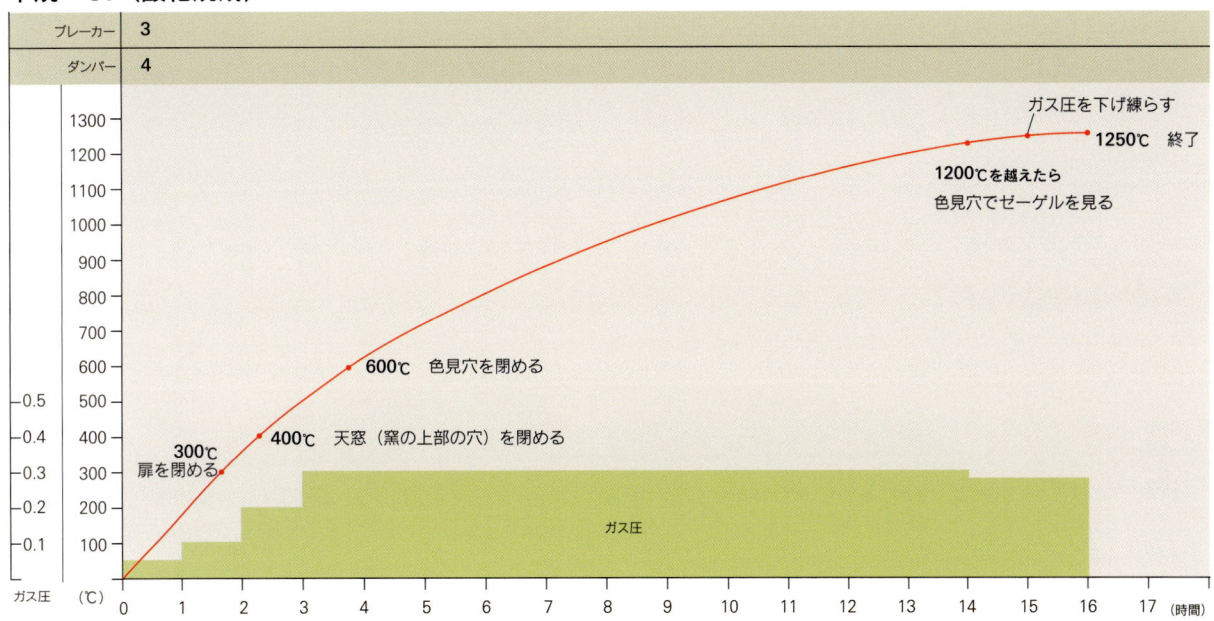

ブレーカー	3
ダンパー	4

- 1250℃ 終了　ガス圧を下げ練らす
- 1200℃を越えたら色見穴でゼーゲルを見る
- 600℃ 色見穴を閉める
- 400℃ 天窓（窯の上部の穴）を閉める
- 300℃ 扉を閉める

本焼　RF（還元焼成）

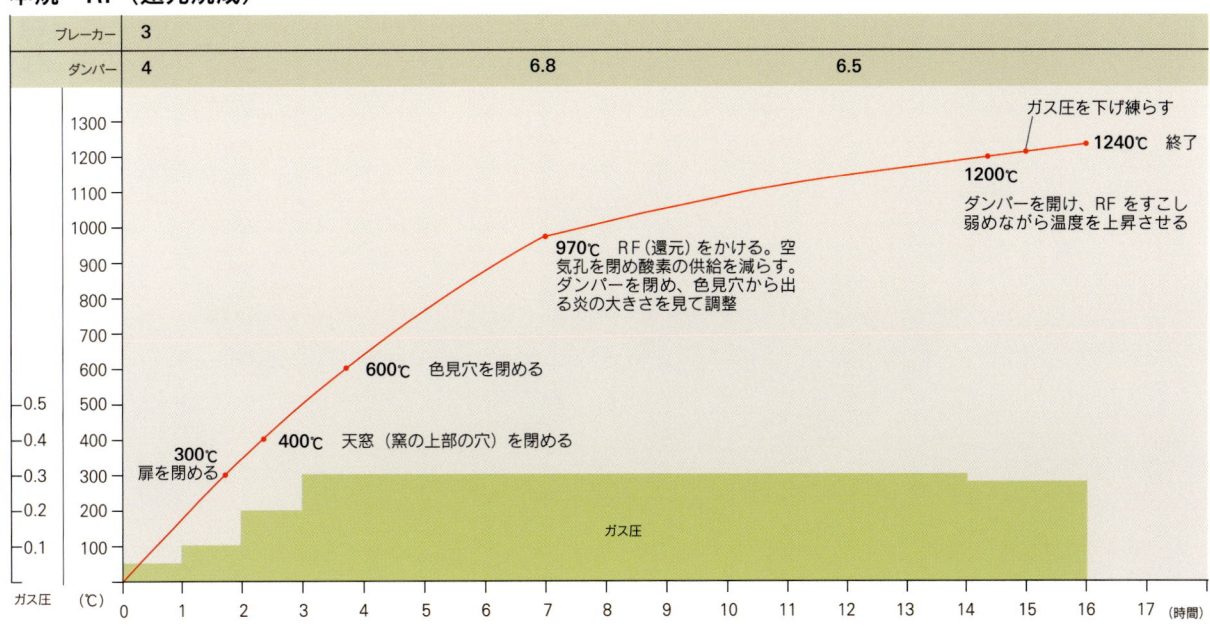

ブレーカー	3		
ダンパー	4	6.8	6.5

- 1240℃ 終了　ガス圧を下げ練らす
- 1200℃ ダンパーを開け、RFをすこし弱めながら温度を上昇させる
- 970℃ RF（還元）をかける。空気孔を閉め酸素の供給を減らす。ダンパーを閉め、色見穴から出る炎の大きさを見て調整
- 600℃ 色見穴を閉める
- 400℃ 天窓（窯の上部の穴）を閉める
- 300℃ 扉を閉める

窯と焼成　115

する。炭素が作品に浸透して黒く定着する。

炭化焼き締め
焼成法の一つ。高温度による強い還元炎状態での燻し焼きを言う。窯を密閉した酸欠状態の不完全燃焼のまま、大量の薪から発生した炭素を素地が吸着して灰黒色になり、固く緻密に焼き締まる。

楽焼
一般的に珪酸鉛を主体とした、低温（800 ～ 900℃）で融ける釉薬を使ったやきものを言う。高火度の陶磁器に比べると焼成は簡単で、短時間で焼き上がる。楽焼の釉薬は急熱・急冷で焼いても、でき上がりに大きな影響はない。粘土は急熱・急冷に耐えられるものを使う。

引き出し黒
黒茶碗の製法の一つ。鉄釉を掛けた茶碗を焼成中に窯から引き出して急冷し、黒色を得る技法およびその製品を言う。

炭化焼き締めの例

熊谷幸治「燻し焼による土器の碗」2002　φ130×90

基本的な窯道具

ゼーゲルコーン
- SK9（1280℃）
- SK8（1250℃）
- SK7（1230℃）

80°
約1cm
耐火粘土

棚板

ハマ
メ（目）
ツク

高温温度計
熱電対
測定器（パイロメーター）

窯と焼成　117

用語解説

Azuleijo（アズレージョ）
ポルトガルの色絵タイル。一般にマジョリカ陶器と同様に釉上絵付けによって作られている。一般的な釉の調合例として、長石 10、フリット 20、カオリン 26、珪石 26、石灰 10、ジルコン 5、本焼 1020℃（白須純）。

アルミナ
酸化アルミニウム。素地の耐火度を増し、釉の流動性を調整して安定性を保つために用いる。カオリン、粘土、長石等から採れる。また、窯道具を器物との溶着等から保護するために水に溶かして塗布することもある。

いっちん
泥漿で器物に文様を施す技法。道具は様々であるが、スポイト状のもので泥漿を線状に盛り上げて文様を描く。いっちん掛け、いっちん盛り。

イングレイズ
施釉した後に、絵付けをして焼成する方法。焼成により、釉が融けることで顔料が下の釉に沈み込む。

影青（いんちん）
白い素地に文様が彫り込んであり、そこに釉薬が溜まり、他の部分よりも青く見えるのでこの名前で呼ばれる。青白磁とも呼ばれる。

内ゴテ
成形の時に器物の内側に当てて使うコテ。外ゴテは器物の外側に当てて使う。

柄ゴテ（えごて）
とっくり等の袋状の形の器物を制作する際、指先が中に届かない内側を成形するために用いる。様々な形態のものがある。

エンゴーベ
化粧土のこと。

押し出し成形
注射器のようなピストンの力を用いて土を押し出す成形方法。土の出てくる口金部分の形状を変えることで、様々な形状のパイプ等が作れる。

型押し成形
型に粘土を押し付けて成形する方法。

亀板（かめいた）
ロクロ成形等で大きな作品を作る時に用いる。成形後、器物を移動しやすいように、ロクロの上にあらかじめ土等で固定しておく。四角形の板の四隅を切り落とした様子が亀に似ていることからこの名が付いたようである。

カリ
カリの酸化物や水酸化物、炭酸塩に対してこの呼び名が使われる。

乾式プレス
乾燥した粉末を型の中に入れて、圧力をかけて成形する方法。タイルやレンガを成形する時に使用される。通常は 7% 程度の水分を含んでいる粘土を使用する。湿った粘土を型の中に入れて、圧力をかけて成形する方法を湿式プレスと言う。

カンナ
成形物の削り仕上げをする時に用いる、鉄製の帯状の板を曲げて作った道具。輪の形をしたものや、帯板の先を曲げて刃を付けたもの等がある。木や竹で作ったものもある。

切り糸（きりいと）
土を切るために用いる、ステンレス線を撚ったもの。土を切り分けるためや、様々な工程でよく使われる。

珪酸
陶磁器素地や釉を形成する基本的な成分の一つ。シリカ（SiO_2）

珪酸ソーダ
鋳込み土を作るために流動性を出すための解膠剤。

形象土器
家・人物・動物・盾等を象った土器（象形埴輪）。

剣先
成形の時に粘土を切ったり、施釉後に釉むらを修正する時等に用いる、鉄やステンレスでできた薄い刃物。

高麗青磁
朝鮮、高麗時代の青磁。越州窯の影響を受けて興った。象嵌を施して文様を浮かび上がらせているのが特徴。

呉須
下絵付けに用いる絵の具の総称。一般には酸化コバルトを含む青色の顔料を指すことが多い。

酸化コバルト
陶磁器制作において、青色の着色剤として顔料や釉薬、化粧土等に用いられる酸化金属。

CMC（しーえむしー）
カルボキシメチルセルロースの略。顔料、釉薬や化粧土等に混ぜて素地への定着をよくする効果を持つ合成糊。

湿式プレス→乾式プレス

湿台（しった）
ロクロ成形した器物の高台を削る時に用いる筒状のもの。器物を成形した土で作ることが多い。

しっぴき
ロクロ成形した器物を切り離す時に用いる撚り糸のこと。麻やわらを用いて作る。

須恵器
5世紀頃、古墳時代に朝鮮半島から伝えられた無釉の土器。1000℃以上の高温で還元炎焼成を行い、灰色で硬く焼き締まっている。

素焼
通常は陶土を700〜800℃、磁土を800〜1000℃で無釉で焼き締めた状態。吸水性があり水に溶けない状態で、施釉する時に都合がよいため行われる焼成。

スリップ→泥漿

ゼーゲルコーン
焼成時に陶磁器に加熱された効果を量るために用いる。粘土か耐火性の支持台に文字面を82度の角度になるように斜めに立てる。窯内に素地と一緒に入れる。窯に色見穴（覗き穴）と呼ばれる穴があり、そこから焼成中に見ることができるように置く。焼成が進むと、ゼーゲルコーンは傾いて焼成状況を知らせる。最低600℃〜最高2000℃まで、20℃から30℃間隔でSK022からSK42まである。21番から25番の5種類を除き、59種類。よく使われる7番

ゼーゲルコーン	コーン番号	オルトンコーン
1080℃	01a	1145℃
1100℃	1a	1160℃
1120℃	2a	1165℃
1140℃	3a	1170℃
1160℃	4a	1190℃
1180℃	5a	1205℃
1200℃	6a	1230℃
1230℃	7	1250℃
1250℃	8	1260℃
1280℃	9	1285℃
1300℃	10	1305℃

は1230℃、8番は1250℃、9番は1280℃である。ゼーゲルコーンとオルトンコーンの、よく使われる番号と温度の対応表を次に記載する。温度はいずれも摂氏表示。

ソーダ
ナトリウム。ソーダとソーダ化合物（珪酸ソーダ等）の水溶液は粘土の可塑性に影響を及ぼす。泥漿の流動性を増すために用いる。

素地
装飾、釉薬等を施す前のもの。成形時、素焼き状態、本焼き状態においても、素地と呼ぶ。あるいは完成した器物についても、その胎について素地と呼ぶこともある。

外ゴテ→内ゴテ

染付
白い素地に呉須で絵付けをして、透明の釉薬を施して焼成した陶磁器。

叩き板
成形の時に叩きながら形を作るために用いる。

タタラ成形機
タタラを作るための機械。電動、手動式があり、回転しているローラーに練り土を入れると、ローラーによって均一な厚みに伸ばされる。

ダミ筆
溜刷毛とも呼ばれ、たっぷりと呉須を含むことのできる太い筆。

ツク
窯道具。窯の中で棚を組むために用いる、耐火物でできた柱。アルファベットのLやIの形をしたもの等が一般的である。

泥漿（でいしょう）
粘土を水や珪酸ソーダを用いて流動的にしたもの。鋳込み土。

鉄絵
酸化鉄を多く含む顔料（紅柄、鬼板、黒浜等）で付けた絵の総称。

唐三彩
緑、白、茶色で彩色されている、中国唐代の軟質色釉陶器。他にも緑と白、青と白、緑、白、青、茶の四色を用いている物も、総称して三彩と呼んでいる。

土器
陶磁器の中でも陶土を用いて低温で焼き締めた無釉の器。

ドベ
器物を成形した土を泥漿状態にしたもので、成形したもの同士を接着する時に用いる。（同意語：のた）

膠（にかわ）
動物の皮革や骨髄から採れる糊。主成分はコラーゲンという蛋白質の一種。上絵を接着する時に用いられる。

白雲陶器
白雲石（ドロマイト）を原料に用いた軽量陶器。京都陶磁器試験場が開発した。

撥水剤
素地に釉薬や顔料等を施したくない部分に塗布する。ロウにパラフィン

と灯油を混ぜて湯煎して用いる古くからの方法の他に、現在では、スペーターという常温で用いるロウ液やトルエンを含むシリコン製のもの等もある。

バリ
粘土を切った時に出る、縁にはみ出したりしてできる余分な部分。

ファイアンス焼
炻器と磁器を除く、施釉陶器のフランスでの呼び方。

袋物
壺、急須の本体、とっくり等のように袋状の容器になっている形の総称。

ふのり液
顔料や釉の伸びをよくして粘着度を増すために用いる。海藻の煮汁のこと。

フリット
白玉とも呼ばれる。水に溶けやすい。アルカリ分や硼酸分に珪酸やアルミナを加え、ガラス化したもの。主に釉薬の媒溶材として使われる。鉛を含まないものを無鉛フリットと呼ぶ。

粉青
朝鮮半島のやきもので、粉引とも呼ばれる。白い化粧土を施した陶器。粉を引いたように見えることからこの名で呼ばれている。

紅柄（酸化第二鉄）
陶磁器制作において、顔料や釉薬、化粧土等に用いられる酸化金属。使用量によって黄色から黒色まで発色の範囲を持つ。

ポットミル
中に原料と水、磁器玉を入れて機械で回転させて粉砕する時に用いる。磁器製で形状は筒型。蓋がありネジで締めて密閉できるようになっている。

ポンス
成形した器物に穴を開けるために用いる。薄い金属製の管状の道具。急須等の茶漉しを作る際にも用いる。

マジョリカ（マヨリカ）
おもにイタリア、スペインで多く作られている軟質陶器。白濁した釉に絵付けが施されている。技法の特徴として素焼きを 1000 〜 1150℃で行い、一般に鉛と錫を多く含んだ釉を施釉後、釉上絵付けを施す。本焼きは低火度焼成で、一般的には 800 〜 1000℃で行う。

水挽（みずびき）
ロクロ成形の時に水を用いて成形すること。

ミルボール
粘土、釉薬原料等を粉砕するための大きな磁器玉。

割り線
鋳込み型等を作る時の型を分割するための線。パーティングライン。

原料、道具取扱い店一覧 (50音順・2020年10月末現在)

泉陶料
○磁土・陶土
〒607-8322 京都府京都市山科区川田清水焼団地町 2-2
tel　075-581-8833
fax　075-593-4127
http://www.tougei.com/izumi/

伊勢久(株)　陶芸部
○原料・絵の具・各種道具
〒507-0827 岐阜県多治見市平和町四丁目 48 番地 8
tel　0572-21-2860
fax　0572-22-0270
http://www.isekyu.com/

(有)北村電気炉製作所
○電気炉
〒463-0089 愛知県名古屋市守山区西川原町 251
tel/fax　052-792-4312
http://kitamura-e.co.jp/

サンエス石膏(株) 東京営業所
○石膏
〒160-0023 東京都新宿区西新宿 7-8-11 美笠ビル 501
tel　03-5330-0981 (代表)
fax　03-5330-0985
http://www.san-esugypsum.co.jp/

新陶社
○電気炉・ガス炉
〒252-0243 神奈川県相模原市中央区上溝 612-36
tel　042-759-2441

シンリュウ(株)
○ガス炉・電気炉・灯油窯・土・各種道具
〒351-0001 埼玉県朝霞市上内間木 514-2
tel　048-456-2123
fax　048-456-2900
http://www.shinryu.co.jp/

千画堂 (せんほどう)
○九谷和絵具・下絵上絵顔料・陶画筆・陶芸材料各種
〒923-1112 石川県能美市佐野町イ 1-5
tel　0761-58-5711
fax　0761-58-5677
https://irokutani.wixsite.com/senhodo/

(株)大幸セラミック
○棚板・支柱
〒509-5122 岐阜県土岐市土岐津町土岐口 754-7
tel　0572-53-1751
fax　0572-53-1752
http://www.daikocera.jp/

(株)東京丸二陶料
○土・原料・各種道具
〒189-0013 東京都東村山市栄町 3-3-18
tel　042-391-8626 (代)
fax　042-391-4757
http://www.t-maruni.co.jp/

日本電産シンポ(株) 東京支店
○電動ロクロ
〒141-0032 東京都品川区大崎 1-20-13 日本電産東京ビル
tel　03-3494-0721
fax　03-3494-0720
http://www.nidec-shimpotougei.jp/

日本陶料(株)
○磁土(柿谷上石)・三号釉・一号釉
〒607-8322 京都府京都市山科区川田清水焼団地町 2-3
tel　075-591-9501
fax　075-591-7354
http://www.eonet.ne.jp/~nihontouryou/

服部電気炉工業
○電気炉
〒489-0872 愛知県瀬戸市水無瀬町 93
tel　0561-82-5978
fax　0561-83-4423

(株)ヒュース・テン
○絵の具・顔料・電気窯・ロクロ等機材・書籍
〒167-0022 東京都杉並区下井草 3-15-8
tel　03-5930-1133
fax　03-5930-3311
http://pottery.hus-10.com/

(株)福澤工業
○陶芸窯(灯油・ガス・電気・登窯)・陶芸機器・材料他
〒808-0109 福岡県北九州市若松区南二島 2-3-15
tel　093-791-0329
fax　093-791-0333
http://www.san-puku.com/

丸石窯業原料(株)
○磁土・陶土・釉薬等
〒489-0053 愛知県瀬戸市東安戸町 16
tel　0561-82-2416
fax　0561-82-0326
http://www.maruishi-corp.jp/
http://www.rakuten.ne.jp/gold/maruisi-nendo/

（資）村上金物店
○石膏成形用具・陶芸用小道具製造販売
〒489-0817　愛知県瀬戸市銀杏木町56
tel/fax　0561-82-2749
https://ceramictools.shop/

森下工業（株）
○ガス窯
〒488-0823　愛知県尾張旭市庄南町3-10-9
tel　052-771-8483
（フリーダイヤル　0120-80-8483）
fax　052-771-8555
http://www.morishita-kogyo.co.jp/

（株）柳北信陶園
○ガス炉・電気炉・灯油窯・粘土・釉薬・材料
本社・工場：〒529-1813　滋賀県甲賀市信楽町畑35
tel　0748-82-1062
fax　0748-82-2744
厚木営業所：〒243-0017　神奈川県厚木市栄町2-2-17
tel　046-296-5377 / 050-3515-7589
fax　046-296-5366
http://www.tougeigama.com/

［インターネットショップ］
陶芸SHOP.COM
○土・各種道具・原料
http://www.tougeishop.com/

陶芸.com
○土・各種道具・原料
http://www.tougei.com/shop/c/c71/

写真協力・編集協力（掲載順）

東京国立博物館	大町彩
Image:TNM Image Archives	坂田有貴
青梅市教育委員会	高振宇
青梅市郷土博物館	新田つぎ
財団法人中近東文化センター附属博物館	川﨑忠夫
天野博物館友の会	寛土里
井戸尻考古館	小林庸浩
桐生市教育委員会	林京子
岩宿博物館	関根昭太郎
浜坂尚子	赤瀬圭子
増田光	田中啓一
黄光復（HWANG Kwang Bok）	氏家龍次
境真友美	山根真奈
高橋奈己	清水真由美
安藝俊郎	長田佳子
長谷川武雄（長谷川陶磁器工房）	鈴木豊
株式会社アウラ	大隈美佳
鳴海製陶株式会社	松塚裕子
株式会社セラミックジャパン	武蔵野美術大学美術館・図書館民俗資料室
荻野克彦	武蔵野美術大学美術館・図書館
德田祐子／株式会社サン・アド	白須純
富永和弘	竹田精一郎
白山陶器株式会社	合志真由子
山本シンセイ写真研究室	熊谷幸治
株式会社INAX ライブミュージアム	
栄木正敏	撮影：清瀬智行
TOTO株式会社	
落合勉	武蔵野美術大学陶磁工房研究室
藤塚光政	
大河内信雄	
ジャパンブラジルアートセンター 三梨伸	
井上佐由紀	
本間勲	
谷川美也子	
倉前幸徳　KURAMAE KOUTOK	
川田順造	
礒崎真理子	
吉川千香子	
伊勢現代美術館	
小坂明	
藤井憲之	
矢尾板克則	

著者紹介（執筆順）

小松誠

1943年東京都生まれ。武蔵野美術大学名誉教授。1967年クラフト展グランプリ受賞（日本クラフトデザイン協会）。1970～73年までスウェーデンGustavsberg製陶所デザイン室勤務。1973年埼玉県行田市に独立工房設立。おもな展覧会と受賞に、手のシリーズ（銀座松屋クラフトギャラリー、1975）、クリンクルシリーズ（銀座松屋デザインギャラリー、1979）、国井喜太郎産業工芸賞（日本工芸財団、1980）、ジャパンスタイル展（ヴィクトリア＆アルバート美術館、1980）、バレンシア国際陶磁器ガラスデザイン展（スペイン、1980）、Design Message from Japan展（アメリカ、1983）、第1回国際陶磁器展美濃'86デザイン部門グランプリ（1986）、第30回陶磁器デザインコンペティショングランプリ（1986）、East Meets West展（アメリカ、1988）、A Perspectiv on Design展（カナダ、1990）、The Message of 91 Gallery 91 New YorK（アメリカ、1991）、現代陶芸「うつわ考」展（埼玉県立近代美術館、1993）、ファエンツァ国際陶芸展50回記念展招待（イタリア、1997）、Domestic Object展（スイス、1998）、国際陶芸シンポジウムOICS（ノルウェー・オスロ、2003）、注ぐ器特別展示（ニューヨーク近代美術館、2006）、小松誠デザイン＋ユーモア展（東京国立近代美術館、2008）ほか。おもなパブリックコレクションに、ニューヨーク近代美術館、ヴィクトリア＆アルバート美術館、モントリオール装飾美術館、ローザンヌ装飾美術館、ハンブルグデザイン美術館、ファエンツァ国際陶芸美術館、北京中国美術館、韓国・世界陶磁博覧会財団、東京国立近代美術館、岐阜県現代陶芸美術館、石川県立九谷焼技術研修所、愛知県立芸術大学美術館ほか。

萩原千春

1972年千葉県生まれ。武蔵野美術大学非常勤講師。1996年武蔵野美術大学工芸工業デザイン学科卒。同大学陶磁研究室助手ののち、パリ賞にてフランス・パリのCité Internationale des Artsにアーティストインレジデンス。帰国後、2003年に千葉県野田市に陶磁工房を設立。ポットや急須を中心に暮らしの中で生きる陶磁器を制作。展覧会にて作品を発表するほか、野外展のオブザーバー、季刊誌や小冊子への寄稿、ショップのオリジナルテーブルウェアのデザインと制作。カフェ、レストラン、個人邸のオリジナルテーブルウェアのデザインと制作も手掛ける。

おもな展示に、「萩原千春陶磁展」（器スタジオTRY、1997、2004、2007）。「白のトーン 萩原千春展」（Gallery KAI、2005）。「くらしと工芸−陶磁 鋳物 漆−三人展」（桃林堂、2007以降隔年）。「百のポット＋百のカップ 萩原千春陶磁展」（ヒナタノオト、2007）。「毎日のお茶 使ううつわ 萩原千春作陶展」（List:、2008）。「萩原千春陶磁展 spiral market selection vol.170」（スパイラル、2009）。「International ceramic workshop dubi 招待作家展」（チェコ／ドゥビ、2012）。「萩原千春展 spiral market Library vol.38」（スパイラル、2013）。「萩原千春 萩原朋子 二人展」（ルヴァン、2013、2015、2017、2019）。「萩原千春 萩原朋子 二人展」（デザインギャラリー卑弥呼、2014）。「プロローグ 萩原千春・朋子 二人展」（アチブランチ、2014）。「raffine 西玲子 薄井ゆかり 萩原千春 三人展」（galery ten、2016）。「萩原千春＋spiral」（スパイラル、2017、2018）。「絵＋陶 マツモトヨーコ 萩原千春 萩原朋子 三人展」（The14th moon、2017）。「萩原千春 萩原朋子 陶磁展」（mono gallery、2020）ほか。

西川聡

1967年愛知県生まれ。武蔵野美術大学教授。1990年武蔵野美術大学工芸工業デザイン学科卒業。1992年新宿京王百貨店で初個展。1995第4回国際陶磁器展美濃入選。1996年日本クラフト展入選。1997年スペインにて作品制作2人展。アフリカ大陸、中東、西欧を放浪。1998年KAYA設立。1999年クラフト全国公募 札幌で優秀賞。2000年工芸都市高岡クラフトコンペ2000奨励賞、2008年優秀賞。2004年、神奈川県湯河原町へ工房移転。

おもな企画展に、「作家達の海外」（ニッケコルトン銀花、1999）、「美味しいお茶と器」（リビングセンターOZON、2000）、「日本のクラフト」（リビングセンターOZON、2006）、「赤展」（ヨーガンレール ババグーリ、2007）ほか。

NOTION（東京）、たち花（東京）、GALLERY招山（神奈川）、GALLERY Moe（熊本）、Tip toe（兵庫）、しぶや美術館（広島）、うつわ楓（東京）、桃居（東京）などで個展を開催。

磯谷慶子

東京都生まれ。武蔵野美術大学工芸工業デザイン学科卒業。武蔵野美術大学非常勤講師。財団法人 柳工業デザイン研究会勤務後独立。柳宗理に師事。東名足柄斜張橋（1990）やテーブルウエアのデザインを手掛ける。ラクダキャラバン隊で中国タクラマカン砂漠1500kmを横断（1991）。（財）日本民芸館、概要リーフレットのグラフィックデザイン（1993）。「画材と素材の引き出し博物館」のレイアウトデザイン（目黒区美術館、1995）。藤里三昧—ジンギスカン鍋プロダクトデザイン（秋田県藤里町、1995）。平内町を活かしたプロダクトデザイン（青森県平内町、2000）。

おもな個展に、磯谷慶子のButtons展（湯島・COMギャラリー、2003）、小さな壺と大きなボタン（恵比寿・ギャラリー介、2004）、風の記憶（銀座・Ecru + HM、2005）、夏の朝（横浜・Gallery元町、2005）、小さな日常の彩り（原宿・菓匠寿々木、2005）、磯谷慶子 陶磁器ボタン（銀座松屋 遊びのギャラリー、2006）、噺の目（銀座・Ecru + HM、2007）ほか。パリコレにボタン出品（2003春夏ハナエモリオートクチュールコレクション）。陶磁器ボタンやアクセサリー、花器、文房具、テーブルウエア等制作。

陶磁　発想と手法

2009 年 4 月 1 日　　初版第 1 刷発行
2020 年 12 月 10 日　初版第 2 刷発行

監修
小松誠

著者
小松誠、萩原千春、西川聡、磯谷慶子

編集・制作
株式会社武蔵野美術大学出版局

表紙デザイン
白尾デザイン事務所

本文デザイン
大村麻紀子

発行所
株式会社武蔵野美術大学出版局
〒180-8566　東京都武蔵野市吉祥寺東町 3-3-7
電話　0422-23-0810

印刷・製本
凸版印刷株式会社

落丁・乱丁本はお取り替えします。

©Komatsu Makoto, Hagihara Chiharu, Nishikawa Satoshi, Isoya Keiko 2009
ISBN978-4-901631-86-0 C3072